Le cycle manitobain de Gabrielle Roy

Merci au Conseil des Arts du Canada,
au Conseil des Arts du Manitoba,
au Conseil de recherches en sciences humaines du Canada
et à l'Université de Winnipeg pour l'appui financier apporté
à la publication de cet ouvrage.

Couverture : photo de Henry Kalen
Champ de colza à Starbuck, Manitoba

Données de catalogage avant publication (Canada)
Harvey, Carol

Le cycle manitobain de Gabrielle Roy
ISBN 2-921353-05-9

I. Roy, Gabrielle, 1909-1983 – Critique et interprétation.
1. Titre.

PS8535.098Z66 1993 C843'.54 C93-098016-6

PQ3919.R69Z66 1993

Dépôt légal : 1er trimestre 1993, Bibliothèque nationale du Canada
et Bibliothèque nationale du Québec

Directeurs : Annette Saint-Pierre et Georges Damphousse

Carol J. Harvey

Le cycle manitobain de Gabrielle Roy

Les Éditions des Plaines
Case postale 123
Saint-Boniface (Manitoba)
R2H 3B4

À ma famille :
Albert,
Alan et Stephanie.

Tableau des sigles

BO	Bonheur d'occasion
PPE	La Petite Poule d'eau
RD	Rue Deschambault
RdA	La route d'Altamont
RR	La rivière sans repos
CE	Cet été qui chantait
CV	Ces enfants de ma vie
FL	Fragiles lumières de la terre
DQE	De quoi t'ennuies-tu, Éveline?
DE	La détresse et l'enchantement
LB	Ma chère petite soeur, lettres à Bernadette
SM	Souvenirs du Manitoba

Citations en exergue

Chapitre 1	*FL* p. 149
Chapitre 2	*RD* p. 293
Chapitre 3	*RdA* p. 236
Chapitre 4	*RdA* p. 149
Chapitre 5	*RdA* p. 179
Chapitre 6	*FL* p. 103
Conclusion	*DE* p. 80

Avant-propos

En dehors de l'Ouest canadien, on ne fait guère état des origines manitobaines de Gabrielle Roy, célèbre comme le premier récipiendaire canadien du prestigieux Prix Fémina en 1947. À cette époque, l'écrivaine est déjà installée au Québec, province où elle devra résider jusqu'à sa mort en 1983. Par conséquent, son oeuvre est souvent considéré comme faisant partie de la littérature québécoise, ou plus généralement canadienne, du XXe siècle.

Or, née au Manitoba, presque dès le début de sa carrière littéraire, Gabrielle Roy situe une grande partie de son oeuvre dans le cadre spatio-temporel de ses jeunes années passées dans cette province et elle ne manque pas de signaler à maintes reprises l'importance de la période manitobaine dans sa création romanesque[1]. Et de même dans la dernière décennie de sa vie elle se tourne vers son enfance et sa vie de jeune adulte, y puisant les sources d'inspiration de sa dernière oeuvre fictive ainsi que de la première partie de son autobiographie. Nous sommes donc autorisés à croire que sa province natale ne lui fournit pas seulement des points de repère géographiques et historiques mais aussi de véritables composantes de sa vie intérieure. Plus qu'un simple point de départ réel, la période manitobaine constituerait pour l'auteure un point de retour littéraire irrésistible.

Parmi les oeuvres fictives inspirées par les étapes majeures de ses années manitobaines, trois s'imposent avec une importance particulière par leurs caractéristiques communes. Il s'agit de *Rue Deschambault* (1955), *La route d'Altamont* (1966) et *Ces enfants de ma vie* (1977), textes narratifs rédigés à la première personne. Les événements rapportés par Christine, la narratrice des trois oeuvres, portent sur son enfance, son adolescence et ses expériences d'enseignement. À vrai dire, ces textes constituent un cycle qu'il importe de considérer en tant que tel pour voir l'évolution de l'art et de la pensée de l'écrivaine. Ce cycle manitobain est l'objet de la présente étude.

---

[1] *Souvenirs du Manitoba*, *Mémoires de la société royale du Canada*, tome XLVIII, 3e série, juin 1954, 1ère section, pp. 1 à 6; *Le Manitoba*, article publié initialement dans le *Magazine Maclean*, Montréal, vol. 2 n° 7, juillet 1962, et repris dans *Fragiles lumières de la terre* (1978), Montréal, Stanké, 1982, Québec 10/10, pp. 101-120 et *Mon héritage du Manitoba*, article publié initialement dans un numéro spécial de *Mosaic*, revue de l'Université du Manitoba, Winnipeg, vol. 3, n° 3, printemps 1970, et repris dans *Fragiles lumières de la terre*, pp. 143-158.

Par ailleurs, *La détresse et l'enchantement*, l'autobiographie de Roy, commencée vers 1976 et parue posthumément en 1984, est riche en renseignements sur la famille de l'écrivaine, sur le milieu où elle grandit et sur sa décision de partir pour l'Europe. Et à lire cette autobiographie, l'on est frappé par le peu de différences entre la vie de Gabrielle et les récits de Christine. Personnages, endroits et événements de l'autobiographie ressemblent au déjà-vu de l'oeuvre romanesque. *Rue Deschambault* couvrirait ses jeunes années jusqu'au moment où elle doit quitter le foyer pour gagner sa vie, soit de 1913 à 1929 environ; les nouvelles de *La route d'Altamont* s'étendraient de 1915 à 1937; et dans *Ces enfants de ma vie*, les années d'enseignement correspondent plus ou moins à la période de 1929 à 1937.

En plus de cette autobiographie, les lettres de l'auteure à sa soeur Bernadette, publiées en 1988 sous le titre *Ma chère petite soeur*, et le témoignage de Marie-Anna Roy peuvent permettre un éclairage supplémentaire. Cette dernière, une des deux soeurs de Gabrielle Roy qui vivent encore, est l'auteure de nombreux textes dans lesquels elle prétend relater avec véracité ses souvenirs de leur famille[2]. Et elle conteste souvent les faits et dits que Gabrielle rapporte dans ses écrits.

Finalement, l'acquisition par la Bibliothèque

---

[2] Voir par exemple le roman *Le pain de chez nous* (1954), un livre de souvenirs intitulé *Le miroir du passé* (1979) et la publication plus récente *À l'ombre des chemins de l'enfance* (1989-90).

nationale du Canada du Fonds Gabrielle-Roy, collection de documents littéraires et personnels, permet non seulement de suivre l'évolution de sa carrière mais aussi d'élucider la genèse de l'oeuvre. La collection se compose des versions successives de plusieurs oeuvres – dont les trois qui nous intéressent – remaniées et annotées de la main de l'auteure, des textes des débuts de carrière ainsi que des écrits restés inédits. Tous ces documents sont susceptibles de jeter une lumière nouvelle sur le cycle manitobain.

Toutefois, nous n'avons pas l'intention dans cette étude de mettre en parallèle les épisodes réels et romanesques ou d'établir une comparaison minutieuse entre les personnages vrais et fictifs, bien que plusieurs témoins aient confirmé l'authenticité de maints détails littéraires. Une telle exploration de l'oeuvre à travers la vie risquerait de diminuer le rôle de la création artistique et de réduire tous les textes à de simples récits autobiographiques. Ce serait effectivement nier le talent particulier qui fait de Gabrielle Roy une grande écrivaine.

Mais bien que l'oeuvre royenne dépasse la reproduction de la réalité, elle ne s'alimente pas moins du vécu. Pour cette raison, il importe dans un premier temps de connaître les faits de la vie qui servent comme point de départ des textes narratifs. Ensuite, les analyses mettront en relief les deux facettes de la vie constamment sondées dans ce cycle manitobain, à savoir l'enfance et le rôle de la femme; la structure thématique choisie visera à déceler les discours enchâssés dans les textes et à dégager dans l'axe chronologique les constantes ou ruptures dans la pensée royenne. Par la suite, nous voudrons élucider l'évolution esthétique à partir des techniques d'écriture telles que la structuration de l'espace romanesque, la voix narrative et les insistances du texte caractéristiques de l'écrivaine.

Nous serons ainsi amenée à expliquer le sens de ces textes manitobains en fonction des procédés de la pensée et de la parole qui ont pu transformer le vécu en fiction. En traitant ces récits à résonances autobiographiques comme un cycle, l'importance récurrente du moi ressort pleinement. De même, le rôle primordial que l'époque manitobaine a joué dans la formation de la sensibilité littéraire de Gabrielle Roy ne fait pas de doute.

Chapitre 1

L'époque manitobaine

Là où l'on retourne écouter le
vent comme en son enfance,
c'est la patrie.

Gabrielle Roy naît à Saint-Boniface en 1909, la dernière des huit enfants de Léon Roy et de Mélina Landry. Ses grands-parents maternels avaient quitté Saint-Alphonse-de-Rodriguez, dans la région des Laurentides au Québec, pour s'établir près de Saint-Léon, village de la Montagne Pembina, au Manitoba.

C'est à l'époque des «homesteads», où, pour ouvrir l'Ouest à la culture, le gouvernement du Canada décide de céder les terres aux colons qui voudront les défricher. L'immigration des francophones, qui jouera un grand rôle dans la colonisation de cet espace, est alimentée par des groupes de diverses origines. Aux Canadiens français venus directement du Québec s'ajoutent ceux qui sont rapatriés de leur travail dans les grandes villes industrielles des États-

Unis; en même temps, des immigrants arrivent de France, de Belgique ou de Suisse. D'ailleurs, l'Ouest canadien attire des colons venus des quatre coins du monde. Les uns, tels les Doukhobors et les Mennonites, fuient la persécution religieuse, tandis que d'autres échappent à une crise politique ou économique, par exemple en Ruthénie ou ailleurs en Ukraine. Mais aussi nombre d'immigrants sont encouragés par la promesse d'une vie riche d'aventures ou séduits par le mirage d'une terre promise.

À l'ombre du père

Le père de Gabrielle Roy est parmi ceux qui viennent au Manitoba après avoir travaillé aux États-Unis. Non seulement a-t-il connu les difficultés de l'exil qui l'ont poussé à rentrer au Canada, mais encore il s'occupe de par sa profession d'autres déracinés. Agent colonisateur auprès du gouvernement du Canada, il est chargé de l'établissement d'immigrants sur les vastes terres incultes de la Saskatchewan et de l'Alberta. C'est ainsi qu'il aide les nouveaux venus de diverses nationalités à franchir la pénible étape de l'exil à l'enracinement.

L'époque de la colonisation des grandes plaines marque profondément la jeune Gabrielle. Enfant, elle écoute les anecdotes que son père raconte sur les Blancs-Russes ou les Doukhobors chaque fois qu'il revient de «ses» colonies éparpillées dans la plaine. Alors qu'elle est journaliste à Montréal pendant les années quarante, elle passe plusieurs semaines dans sa province natale à faire une série de reportages, pour le compte du *Bulletin des Agriculteurs*, sur différentes communautés ethniques de l'Ouest. Aussi, elle n'oubliera jamais certains amis français de la famille, «de très grands noms souvent», dit-elle :

> Ainsi venait chez nous le baron Jehan de Froment de Champdumont, personnage haut en couleur, que j'écoutais, bouche bée, nous raconter un passé prodigieux, des déboires prodigieux. Je ne prenais pas assez garde alors à ce qu'avait d'insolite, de fascinant, la présence parmi nous de ces égarés, de ces utopistes. Aujourd'hui seulement, je sais quel souffle du monde lointain nous est venu avec ces chercheurs de mirage, peu souvent pratiques, mais dont l'excès même d'illusion nous a laissé quelque chose de merveilleusement exalté (*FL* p. 114).

En effet, Gabrielle Roy nous fait part dans cet article et d'autres écrits autobiographiques de maints détails ayant trait à son enfance. Elle grandit dans la maison de Saint-Boniface que son père fait construire rue Deschambault après avoir quitté le village de Saint-Léon. À la naissance de sa dernière enfant, Léon Roy est âgé de cinquante-neuf ans. Il vient de fonder à Dollard, en Saskatchewan, une colonie composée de Canadiens français venus du Québec ou rapatriés des États-Unis, colonie qui répond à son grand rêve de voir s'établir dans l'Ouest canadien un équilibre entre l'anglais et le français. Et s'il continue encore quelques années à se montrer énergique et confiant dans sa tâche, l'auteure elle-même avoue ne garder que de vagues souvenirs de «l'homme des grands projets, des belles réalisations, du rêve profond animant ses clairs yeux bleus» (*DE* p. 41).

À vrai dire, le rêve de l'agent colonisateur s'est dissipé au contact de la réalité. Dès 1890, le gouvernement provincial du Manitoba abroge l'article 23, portant sur les droits constitutionnels des francophones[1]. Il abolit alors l'usage de la langue française dans la sphère politique (publication de la *Gazette Officielle*, délibérations dans la Chambre, promulgation des lois, entre autres aspects) et proclame l'anglais la seule langue officielle de la province. Aux tribunaux, les jurés français sont supprimés; les écoles catholiques sont abolies et les fêtes publiques catholiques comme l'Ascension et la Toussaint disparaissent. Et malgré toutes les protestations et les revendications des francophones, ils sont impuissants à empêcher l'abolition de la langue française dans les écoles en 1916.

Or, Léon Roy a pris une part active à l'élection de Wilfrid Laurier, futur Premier ministre du Canada. Quand ce dernier, parvenu au pouvoir, refuse au nom de l'autonomie provinciale d'intervenir dans les disputes linguistiques qui déchirent le Manitoba, le père de Gabrielle continue de l'appuyer. En tant que partisan de Laurier, il s'attire la désapprobation de la communauté francophone, soucieuse de présenter un

[1] Jacqueline Blay, *Le centenaire des lois de 1890 au Manitoba*, dans *Cahiers franco-canadiens de l'Ouest*, vol. 2, n° 1, printemps 1990, pp. 37-59. Pour une histoire complète du français au Manitoba, voir de la même auteure *L'Article 23*, Saint-Boniface, Éditions du Blé, 1987.

front uni, et l'anathème du clergé, qui joue un rôle de premier plan dans les revendications juridiques et scolaires des francophones. Dès lors, la carrière de Léon Roy est mise en jeu. «Enfin sa loyauté politique, on la lui fit payer de son poste d'agent colonisateur, alors qu'il atteignait la vieillesse», explique sa femme, Mélina (*DE* p. 29).

Mis à la retraite à peine six mois avant l'âge requis, Léon Roy, pendant la jeunesse de Gabrielle, n'est plus un homme énergique et enthousiaste. Privé de sa situation, il se trouve démuni et réduit à vivre de ses modestes économies, des travaux de couture de sa femme ou encore de l'aide de ses enfants. Dans la soixantaine, le visage creusé par les soucis, un air de malheur s'attache à cet homme solitaire, qui doit s'appliquer à d'autres tâches pour remédier à la détresse pécuniaire de sa famille. Pour la jeune Gabrielle, c'est un homme plutôt sévère, peu démonstratif à son égard. Il meurt alors qu'elle termine son stage de formation à l'École normale.

Auprès de la mère

Autant son père est pour la jeune Gabrielle un homme distant, autant sa mère est une femme ouverte et liante. D'ailleurs, pendant l'enfance de l'auteure, puisque son père s'absente souvent pour veiller sur ses colonies, et que ses frères et soeurs quittent un à un le foyer, elle se retrouve fréquemment seule avec sa mère. Mélina Roy, courageuse et gaie de tempérament, fait l'impossible pour donner à ses enfants la meilleure part :

> La femme la plus fière, qui passait des nuits à coudre pour ses filles des robes aussi belles que celles des filles des notables les plus riches de la ville, qui trouvait Dieu sait où l'argent de nos leçons de piano, la femme la plus stoïque aussi que jamais je n'ai entendu avouer une douleur physique, ni même, plus tard, le terrible mal de la solitude, dès qu'étaient mis en cause la santé, le bien-être, l'avenir de ses enfants, elle aurait pu se faire mendiante aux coins des rues (*DE* p. 21).

Pleine de joie de vivre, elle sait jouir des plaisirs de la vie – les veillées en famille, les fleurs et les fruits de l'été mais surtout les voyages. Dans *Mon héritage du Manitoba*, l'auteure se souvient des voyages que sa mère fait en compagnie des enfants – que ce soit le court trajet au quartier belge de Saint-Boniface ou les soixante-quinze kilomètres qu'il faut parcourir pour visiter Gimli, village de pêche fondé par les Islandais au bord du lac Winnipeg. Et au temps des vacances, cette femme aime partir dans la montagne Pembina, à la ferme de son frère Excide, située dans la région de Saint-Léon.

Toutefois, pendant l'adolescence de Gabrielle, la mère trouve d'autant plus difficile à joindre les deux bouts que le père, mis à la retraite, se retrouve sans pension. Elle se voit obligée dès lors de subvenir aux dépenses de la maison en ouvrant sa porte à des locataires et à des pensionnaires. Le souvenir cuisant de leur «longue captivité dans la pauvreté» (*DE* p. 143) hante la première partie de *La détresse et l'enchantement*. Non seulement cette pauvreté est-elle source d'inquiétude pour les parents, mais elle contribue aussi à l'humiliation ressentie par leur fille, bien au courant de leur pénible situation. En effet, la famille est tellement démunie que Gabrielle voudrait mourir de son appendicite à l'âge de douze ans plutôt que d'être à la charge de sa mère (*DE* p. 33). Elle se souvient du visage de sa mère, penchée sur elle dans son lit d'hôpital :

> ... je pus y voir, comme à la loupe, la fatigue de sa vie, la marque des calculs, le griffonnage laissé par les veillées de raccommodages, et ce fut plus que je n'en pouvais supporter. Je fermai les yeux, essayai de regagner la région où ne m'avaient pas poursuivie les dépenses, les frais, les honoraires (*DE* p. 35).

La situation ne s'améliore guère, semble-t-il, au fil des ans, car l'auteure se rappelle qu'à la veille de son départ du Manitoba en 1937, le cercle infernal de dettes, taxes et intérêts composés leur rend la vie difficile à l'extrême (*DE* p. 142). Mais malgré sa vie pleine d'insécurités et de soucis pécuniaires, décrite avec tant de compassion dans *La détresse et l'enchantement*, «maman» reste optimiste, refusant de s'attrister sur son sort. L'auteure se souvient d'elle comme une femme rieuse, «les yeux brillant des larmes de la gaieté» (*DE* p. 143).

Les échos de l'enfance dans son oeuvre

L'auteure fait revivre dans son oeuvre romanesque ses jeunes années passées dans la maison familiale de la rue Deschambault[2]. À ce propos, elle écrit dans les premières lignes d'un cahier manuscrit inédit portant le titre «Ma petite rue qui m'a fait faire le tour du monde» :

> Le bonheur de ma vie me vient peut-être pour une bonne part d'être née rue Deschambault. C'était une rue si brève que l'on pouvait l'arpenter en quelques minutes seulement. Elle contenait pourtant une variété (d'aspects) propre à satisfaire les besoins changeants du coeur. À la version anglaise du livre que je lui ai consacré, on a donné le titre : Street of Riches. Et c'était en effet une rue d'infinies richesses[3].

Les dix-huit nouvelles du recueil qui porte le titre *Rue Deschambault* s'étendent du premier âge de la narratrice Christine jusqu'à son adolescence. C'est une étape qui figure également dans trois des quatre nouvelles de *La route d'Altamont*. Car bien que les récits fictifs forment ostensiblement l'autobiographie de «Christine», les traits de Gabrielle Roy sont à peine dissimulés. Grâce aux «jeux de l'imagination[4]», des détails de la vie réelle de l'auteure sont transformés en matière fictive. C'est un voyage en arrière, introspectif mais à la fois créateur, qui permet de transmuer le passé en même temps qu'il le raconte.

---

[2] «... cette courte rue Deschambault dont je me suis efforcée de traduire la douce rusticité dans mon livre qui a précisément pour titre *Rue Deschambault*» (*FL* p. 151).

[3] Il s'agit d'un des manuscrits du Fonds Gabrielle-Roy non identifiés mais qui semblent reliés à *La détresse et l'enchantement*. Reproduit avec la permission du Fonds Gabrielle-Roy.

[4] Mots de l'auteure dans son avertissement liminaire de *Rue Deschambault*.

Le père et la mère de Christine (nommée Éveline) s'inspirent à bien des égards des parents de l'auteure. La femme dans *Les déserteuses*, qui décide à l'insu de son mari de faire un voyage au Québec avec sa fille, partage l'amour des voyages de la mère de l'auteure. Mais depuis la retraite de son mari, Mélina Roy, cette femme à l'âme voyageuse, n'avait guère les moyens de partir en voyage. C'est peut-être pourquoi dans *La route d'Altamont* la mère de Christine se définit plus par son goût des voyages que par ceux qu'elle a l'occasion de faire. Néanmoins, tant en réalité que sous des traits romanesques, «maman» reste gaie, prête à fuser de rire ou à faire une fugue. Écrits autobiographiques aussi bien que textes narratifs baignent dans l'amour et la tendresse que Gabrielle Roy éprouve pour sa mère et qui trouvent leur meilleure expression dans le récit-titre de *La route d'Altamont*. D'ailleurs le souvenir de sa mère ne cessera de remonter à la surface sa vie durant, comme l'atteste *De quoi t'ennuies-tu, Éveline?*, nouvelle inspirée par un voyage de sa mère et que l'auteure fait paraître en 1982, quarante ans après la mort de Mélina Roy.

De même, le père de Christine, qui figure comme personnage central dans la nouvelle *Le puits de Dunrea* doit beaucoup de ses traits à Léon Roy, responsable comme lui d'établir des colonies dans les provinces de l'Ouest. Cependant, traité avec peu de sympathie, il n'est présent dans l'oeuvre que dans *Rue Deschambault*. Il est représenté comme un homme d'une grande rectitude mais patriarche sévère, qui entend exercer son autorité. Il est décrit aussi comme «étranger à la joie» (*RD* p. 161), ressemblant par là au père réel que Gabrielle connaît comme foncièrement triste après la perte de son emploi. Le portrait de cet homme accablé par le poids de la vie fait contraste avec celui de la mère, tout en vitalité et joie de vivre. Les parents sont d'ailleurs caractérisés symboliquement comme «le jour et la nuit» dans la nouvelle qui porte le même nom.

Par rapport à ces portraits, les témoignages connus et inédits d'autres membres de la famille concordent. Un manuscrit anglais intitulé *Christmas on Deschambault Street* d'Anna Painchaud, la fille aînée de la famille Roy, évoque la force de caractère de leur mère, sa détermination et son énergie ainsi que son incessante activité[5]. Quant au père, de caractère strict, son seul regard suffit à rappeler les enfants à l'ordre. Mais son humeur sombre et triste remonterait, selon Anna, non à la perte de son emploi mais à la mort de deux de ses enfants, Agnès et Marie-Agnès[6]. Mélina Roy s'en souvient dans *La détresse et l'enchantement* :

---

[5] «Pray for Maman, said Agnès, so that she remains strong, steadfast as she is now. She is the main pillar of our little world; it would crumble if we lost her», *Christmas on Deschambault Street*, p. 6. Le manuscrit dactylographié de quatorze pages figure parmi les documents conservés dans le Fonds Gabrielle-Roy de la Bibliothèque nationale du Canada. Il est à noter qu'une autre nouvelle d'inspiration autobiographique, *A Drawerful of Porridge*, fut publiée par Mme Painchaud dans la revue anglaise *Chatelaine*, vol. 27, n° 11, nov. 1955, pp. 20-21 et 50-53. Les extraits sont reproduits avec la permission du Fonds Gabrielle-Roy.

[6] C'est le dernier paragraphe de la nouvelle qui autorise cette conclusion : «Chrismas was over. It had been the most joyful, the happiest,

> La première Agnès... nous a quittés pour Dieu venu la prendre si jeune, une douce petite fille de quatorze ans, et l'autre donc, la toute petite Marie-Agnès perdue pour nous à quatre ans seulement (*DE* p. 237).

La mort de cette dernière, survenue des suites de brûlures quand Gabrielle n'a qu'un an, est un événement particulièrement tragique dans les annales de la famille.

Pour sa part, Marie-Anna Adèle fait état dans *Le miroir du passé* de l'intransigeance qui marque le caractère des deux parents et qui n'est tempérée que par l'indulgence que leur mère montre à l'égard de Gabrielle. Par ailleurs, elle affirme que les difficultés financières de la famille, source de nombreux conflits entre mère et père, sont souvent aggravées par les tendances dépensières de Mélina Roy. Adèle confirme sa «bougeotte» et le courage avec lequel elle fait face à la vie. Pauvre sur le plan matériel, la mère est riche en imagination et aime raconter des histoires ou des souvenirs.

Les soeurs aînées de Gabrielle sont l'inspiration de trois des récits de *Rue Deschambault*. La belle Odette dans *Un bout de ruban jaune* fait penser à Bernadette, surnommée Dédette, entrée en religion à vingt-deux ans et devenue soeur Léon-de-la-Croix. Cette «chère petite soeur» qui, pendant

---

the fullest, the best of our life. How could I ever forget it! It was the first for Gabrielle, the last for Agnès and Anne-Marie [sic]; the last one I ever heard Papa sing. It was the last one when we were still all children and all together under our father's roof» (*ibid*, p. 14).

trente ans, entretient une correspondance affectueuse avec Gabrielle est selon cette dernière «un vrai phénomène – pieuse, bruyante, démonstrative, méditative» (*DE*, p. 214). Ce portrait plein de contradictions trouve son reflet littéraire dans la description d'Odette comme une fille qui, malgré son «âme révolutionnaire», est prête à se soumettre à la discipline de la vie religieuse et à renoncer aux toilettes élégantes qu'elle adore porter pour revêtir l'habit. C'est à Bernadette que Gabrielle adulte confie ses joies et peines, triomphes et défaites. Elle compte sur cette soeur retirée pour servir de médiatrice avec les autres membres de la famille; elle lui envoie régulièrement de petites sommes d'argent destinées surtout à subvenir aux besoins de Clémence et elle la fait venir avec cette dernière à sa résidence d'été. Et lorsque sa chère Bernadette est atteinte d'un cancer, Gabrielle fait une de ses rares visites au Manitoba pour courir à son chevet. En effet, l'amitié qui lie Gabrielle et «Dédette», de douze ans son aînée, ne cesse de s'approfondir au fil des ans, comme en témoignent les *Lettres à Bernadette*.

Par contre, rien n'autorise à croire à des relations tendres entre Gabrielle et Marie-Anna Adèle, sa marraine. Les amours réprouvées de la «pauvre Georgianna» dans *Pour empêcher un mariage* (*RD*)) rappellent, non sans une certaine condescendance, le mariage désastreux d'Adèle. «Pauvre Adèle» est la soeur défavorisée de *La détresse et l'enchantement*, avec ses postes dans des villages toujours plus éloignés et ses bizarres régimes alimentaires, et qui «faisait tout pour rebuter l'affection» (p. 127). L'animosité de Gabrielle remonte peut-être à l'époque où leur père doit céder à Adèle sa terre en Saskatchewan, en remboursement des sommes qu'elle lui a avancées. Après la perte de cette terre, au temps où Gabrielle était en douzième année, ses parents se voient à bout de ressources. «Il ne nous restait même plus l'illusion», avoue-t-elle dans son autobiographie (p. 76).

De son côté, Adèle, espérant connaître un succès littéraire comparable à celui de Gabrielle avec *Bonheur d'occasion*, demande en vain à sa cadette de l'aider. Plus encore, elle accuse Gabrielle d'avoir copié plusieurs épisodes de *Rue Deschambault* sur son propre livre, *Le pain de chez nous*, l'histoire à peine romancée de la famille. Que Gabrielle ait pris connaissance de ce texte un an avant la publication de *Rue Deschambault*, lors d'une visite à sa soeur en Saskatchewan, et qu'elle l'ait aidée à en corriger les épreuves, cela ne fait pas de doute. Est-ce pour se venger de ce prétendu plagiat que la soeur aînée trace un portrait sans complaisance de Gabrielle, donnant de nombreuses indications sur sa conduite d'enfant gâtée et égoïste et sur son indifférence envers leur père? «Elle lui reproche d'avoir bénéficié des sacrifices des autres membres de la famille, puis, le succès atteint, de ne pas avoir suffisamment montré de gratitude ou d'intérêt envers ceux qui l'ont aidée autrefois», dit Paul Genuist, auteur d'une étude récente de la vie et l'oeuvre de Marie-Anna Adèle Roy[7]. Il

[7] Paul Genuist, *Marie-Anna Roy – une voix solitaire*, Saint-Boniface,

ressort des écrits signés par Marie-Anna un portrait insolite et troublant de Gabrielle. Et bien que le miroir déformant de la rancune ne soit pas plus apte à refléter la vérité que l'auto-portrait romancé, il nous invite néanmoins à faire une mise en question de l'image habituelle de l'auteure.

Alicia, le troisième récit de *Rue Deschambault* qui puise dans les souvenirs de ses soeurs, rappelle Clémence. Celle-ci, souffrant d'une maladie mentale incurable, devra rester avec sa mère jusqu'à la mort de cette dernière. Les lettres que l'auteure adresse à Bernadette attestent la sollicitude et l'aide pratique dont la famille tout entière entoure Clémence après la mort de leur mère – car, au contraire de la fictive Alicia, Clémence allait survivre à Gabrielle, tout comme Marie-Anna Adèle. Mais il faut admettre aussi que les dons de Gabrielle ne sont pas tout à fait désintéressés, puisqu'elle réclame toujours de la part de l'ordre religieux de Bernadette un reçu lui donnant droit à une déduction d'impôts. De ce point de vue, les lettres confirment la critique de Marie-Anna, qui met en cause la générosité de Gabrielle.

D'autres membres de sa grande famille se trouvent évoqués sous les traits de tel ou tel personnage fictif de *Rue Deschambault*. Robert, qui travaille aux chemins de fer, représenterait son frère Rodolphe, frère réel qui travaille en début de carrière comme

---

Éditions des Plaines, 1992, p. 58. Selon Genuist, la publication du *Miroir du Passé* aurait porté un coup dévastateur à l'image que Gabrielle projetait d'elle-même puisque Marie-Anna place sa soeur sous un éclairage très désagréable (p. 139).

télégraphiste et ensuite comme chef de gare. Alicia, Agnès, l'oncle Majorique, la tante Thérésina Veilleux, enveloppée de chandails et de couvertures – tous ces personnages et d'autres sont modelés sur des membres de la famille de l'auteure. On aurait tort d'oublier la grand-mère Landry, chez qui la jeune Gabrielle passe souvent ses vacances d'été. Dans *Mon héritage du Manitoba,* l'auteure trace le portrait de cette grand-mère maternelle dont «la fière silhouette... domine [ses] premiers souvenirs d'aussi haut que les silos de l'Ouest» (*FL* p. 147). Grand-mère est une femme de volonté, de caractère ferme et énergique :

> De nos jours, préoccupés de l'épanouissement féminin, ma grand-mère serait probablement directrice de quelque société à capitaux ou à la tête d'une quelconque enquête royale sur le statut de la femme au Canada. En son temps, ses talents trouvèrent à s'exercer du matin au soir à la fabrication de savon, d'étoffes, de chaussures. Elle inventa aussi : des remèdes à partir d'herbes, des colorants pour ses teintures, de magnifiques dessins pour ses tapis (*FL* pp. 147-148).

Après la mort de son mari, cette vieille femme déménage au village de Somerset dans une maison que l'auteure reconnaît avoir «plus ou moins en tête» (*DE* p. 49) en écrivant *Ma grand-mère toute puissante,* première nouvelle de *La route d'Altamont,* dans laquelle Christine passe quelques semaines chez sa grand-mère. L'inspiration autobiographique de la conclusion de cette nouvelle est également attestée dans *La détresse et l'enchantement,* où l'auteure affirme bien se souvenir de sa grand-mère Landry, décédée rue

Deschambault à quatre-vingt-quatre ans, alors qu'elle-même est âgée de huit ans (*DE* p. 94).

Le pays de son enfance

Les lieux que la jeune Gabrielle connaissait sont aussi transposés sur le mode fictif. La ferme familiale est évoquée au même titre que la petite maison de «mémère» dans *Ma grand-mère toute puissante.* Cette ferme dont avait hérité l'oncle Excide, frère de Mélina Roy, est décrite dans *La route d'Altamont* comme la ferme de l'oncle Cléophas. Défrichée par les grands-parents Landry, elle était située à une dizaine de kilomètres du village de Saint-Léon, dans la région de la Montagne Pembina. C'est le lieu privilégié des vacances de Gabrielle, lieu qu'elle aura l'occasion de retrouver quand elle sera institutrice à l'école du village voisin de Cardinal. Cardinal, décrit d'abord dans *Gagner ma vie,* dernière nouvelle de *Rue Deschambault,* est le cadre également des deux derniers récits de *Ces enfants de ma vie* : *La maison bien gardée* et *De la truite dans l'eau glacée.* C'est un village qui, aux dires de l'auteure, portait bien son nom à l'époque car tous les bâtiments étaient alors peints en rouge[8].

Bien que Saint-Boniface ne soit jamais nommé dans *Rue Deschambault,* ce village où se trouvent

[8] «C'était un tout petit village par terre, je veux dire vraiment à plat dans les plaines, et presque entièrement rouge, de ce sombre rouge terne des gares de chemin de fer dans l'Ouest... Même l'élévateur à blé était rouge, même la maison où j'allais habiter... Il n'y avait que l'école qui eût de l'individualité, toute blanche» (*RD* p. 284).

encore aujourd'hui la rue Deschambault et la maison de Gabrielle Roy n'est pas moins celui où se déroule bon nombre des nouvelles de l'oeuvre fictive[9]. Dans ce village de langue française, devenu aujourd'hui banlieue de la ville de Winnipeg, viennent s'établir les différents groupes d'immigrants francophones arrivés du Québec ou de l'Europe, ainsi que quelques nouveaux venus de toutes les nationalités. Les visages ethniques de l'oeuvre royenne constituent un aspect qui n'a pas échappé à la critique littéraire, qui y voit tantôt le signe des valeurs humanistes de l'auteure, tantôt le reflet de son époque. Ils sont évoqués dans ses articles sur le Manitoba et dans l'autobiographie aussi bien que dans ses textes narratifs. Ainsi, *Rue Deschambault* offre plusieurs portraits d'immigrants. Dans *Les deux nègres* et *Wilhelm* surgit le drame du contact des races alors que *L'Italienne* aborde la tragédie de Lisa, femme laissée sans appui à la mort de son mari. «Sans que j'eusse à voyager», dit l'auteure, «je pouvais voir défiler sous mes yeux les gens d'ailleurs» (*FL* p.154).

Mais dans la description de sa province d'origine que Gabrielle Roy fait dans ses *Souvenirs du Manitoba*, elle s'attarde tout particulièrement sur les aspects français de la vie manitobaine de l'époque. Elle évoque Saint-Boniface, «ville de collets-blancs, pas

---

[9] Le témoignage suivant fut recueilli par Paula Gilbert Lewis, au cours d'une conversation avec l'auteure le 29 juin 1981 :

> «À deux reprises, Gabrielle Roy déclara que tout, dans sa vie et dans son oeuvre littéraire, était lié au fait de sa naissance sur la petite rue Deschambault».

La dernière des grandes conteuses : une conversation avec Gabrielle Roy dans *Études littéraires*, vol. 17, n° 3, hiver 1984, p. 571.

très riches, dignes, soucieux de l'apparence... et pleins de courage» (*SM* p. 2). Elle décrit le côté «Belgique» de Saint-Boniface et les villages authentiquement français, comme Notre-Dame-de-Lourdes. Dans l'oeuvre fictive, la toile de fond historique et géographique est conforme à cette description, peinte avec un souci d'exactitude et d'authenticité.

La vie est ponctuée par le son des cloches, la messe – règle sociale autant qu'exercice spirituel – le devoir religieux d'accepter les enfants que Dieu vous envoie. En été, la vie est animée par les soirées passées sur la galerie de la maison, alors que par les froides nuits d'hiver tout le monde se retire dans la cuisine bien chauffée. Les plaisirs sont simples. On passe les veillées à raconter des histoires ou des anecdotes, telles la mésaventure du *Titanic*, ou à jouer du piano ou du violon. À la campagne, une certaine monotonie s'installe par les grands froids d'hiver, quand il ne reste plus grand-chose à faire. Chez certains, où l'on ne trouve ni livre ni musique, les seules distractions sont de «tirer les cartes, lire les tasses de thé et les lignes de la main» (*DE* p. 114) et les seules lectures sont les almanachs populaires ou les feuilletons. Quand une jeune fille vient s'établir dans un village, tous les jeunes hommes s'attroupent le samedi soir ou le dimanche et attendent qu'elle montre sa préférence pour l'un ou l'autre, en lui remettant son chapeau, de main à main. Mais pour les fêtes à la campagne, toute la jeunesse des environs saisit l'occasion pour chanter ou danser la polka, à moins de vivre dans un village comme Saint-Léon, où le curé interdit aux gens de danser, sous peine de mettre leur âme en péril (*DE* pp. 58, 139).

Dans la société de cette époque – Christine ne tardera pas à le remarquer à l'instar de Gabrielle Roy – les femmes jouissent de moins de liberté que les hommes et de moins de droits. Les femmes seules sont d'ailleurs mal vues et s'exposent aux attentions d'hommes peu honorables, comme l'apprend Éveline dans *Les déserteuses*. C'est un monde clos, où le nouveau venu – même d'origine québécoise – est inquiétant «parce qu'on ne connaissait rien de ses antécédents» (*RD* p. 190). On se méfie à plus forte raison de l'étranger, et les préjugés ne sont guère cachés. Devant la perspective d'un locataire noir, la mère de Christine réagit spontanément, «Un Nègre! Ah non! par exemple. Jamais de la vie!... Qu'est-ce que Mme Guilbert en penserait?» (*RD* p. 15). Même une religieuse comme Odette, astreinte à la pratique de la charité, conseille à sa soeur d'oublier son cavalier hollandais car «un étranger est un étranger» (*RD* p. 232). La vie est donc réglementée en fonction des normes et interdits de l'époque. Les convenances sont très importantes dans cette société comme dans bien des autres, également soucieuses de l'apparence. Mais pour les Canadiens français de Saint-Boniface, il est aussi question de sauvegarder leur communauté culturelle et linguistique et leur religion catholique :

> Le mot d'ordre était de survivre, et la consigne principale, même si elle n'était pas toujours formellement énoncée, de ne pas frayer avec l'étranger...

> les longues fréquentations [étaient] un péril mortel, particulièrement celles entre les «nôtres» et les «autres», menant à des mariages mixtes, la plus grave des calamités (*DE* p. 139).

D'autres difficultés sont créées par le climat manitobain. «Hélas!» se souvient la narratrice, «l'été est bien court au Manitoba» (*RD* p. 191), bien que l'été des Sauvages que l'auteure évoque ailleurs, prolonge parfois les beaux jours au-delà des premiers gels d'automne. L'hiver, par contre, est long et souvent dangereux, marqué par de terribles tempêtes où la neige, gonflée par le vent déchaîné, crée un tourbillon blanc. Pendant ces tempêtes de neige aveuglantes, tous les points de repère sont effacés et le voyageur égaré risque de mourir de froid. Justement, Gabrielle Roy et ses cousins se sont perdus une fois en allant à une veillée – voyage dont elle rappelle la terreur dans *La tempête* et *De la truite dans l'eau glacée*. L'auteure, qui en a fait l'expérience, sait décrire les villages bloqués par la neige, les différents moyens de transport dont on se servait à l'époque – une Ford haute sur roues ou un traîneau – ainsi que les voyageurs habillés de peau de bison, briques chauffées à leurs pieds, qui, s'ils se laissaient surprendre par la tempête, s'exposaient à geler, ayant perdu de vue les poteaux de la ligne téléphonique qui leur servaient de guide.

Par contre, son personnage Christine doit interrompre le récit tragique du *Titanic* pour se renseigner sur la brume, phénomène climatologique pour ainsi dire inconnu à Saint-Boniface. Tout le monde s'évertue alors à fournir des explications :

> L'un m'a répondu que c'était comme du coton répandu partout dans l'atmosphère; un autre l'a décrite comme une vapeur très fine telle qu'il en sortait de notre «canard» sur le poêle, mais évidemment plus épaisse et par ailleurs froide. Mon oncle m'a parlé d'un courant d'eau chaude dans la mer qui ne voulait pas se mêler aux eaux de glace, et toutes les deux luttaient ensemble... Était-ce donc leur haleine qui empêchait de voir? (*RD* p. 91).

Cet exemple atteste également le respect de la spécificité linguistique du Manitoba, puisque dans une version antérieure de cette nouvelle, conservée dans le Fonds Gabrielle-Roy, l'auteure utilise d'abord le terme *ouate*, courant en France, qu'elle remplace par le mot *coton*, employé au Manitoba.

Ajoutons d'ailleurs que les éléments topographiques sont décrits avec la même minutie fidèle. L'auteure peint la grande plaine plate qui s'étend à perte de vue et les petites collines de la région Pembina qui, par effet de contraste, ressemblent à de véritables montagnes. Cette plaine et le haut ciel d'un bleu pur forment l'arrière-plan de bien des récits inspirés par le Manitoba. «C'est le ciel de là-bas surtout qui m'enchante, écrit-elle en 1970 dans une lettre à Bernadette. Pour en trouver un plus grand, plus bleu, il faut aller en Grèce» (*LB* p. 204). Par ailleurs, le lac Winnipeg, long de deux cents milles, est le décor choisi pour la nouvelle *Le vieillard et l'enfant*. Et la rivière Rouge et son petit tributaire la rivière Seine, qui passe près de la rue Deschambault, figurent souvent dans l'oeuvre. Jamais le décor n'est vague ni imprécis. Qu'il s'agisse d'une longue description lyrique du lac ou d'un seul mot comme le *gumbo* (sol noir et fertile du Manitoba), la spécificité manitobaine remémorée surgit dans la création romanesque. D'ailleurs, la romancière peut se rafraîchir la mémoire au fil des ans, lors des visites qu'elle rend aux membres de sa famille dans l'Ouest.

Le fait français au Manitoba

Selon l'auteure, le Manitoba lui a donné une enfance «enveloppée d'une sécurité profonde... de cette sécurité que donne à la vie un passé entretenu par des récits, des souvenirs, par un ordre social et moral éprouvé» (*SM* p.1). Toujours est-il que l'ordre établi se trouve constamment remis en question par des pressions extérieures. Même à la campagne, dans les villages de la Montagne Pembina établis par des familles d'expression française, l'attrait de l'anglais se fait sentir. Pour traiter des affaires, par exemple, son oncle Excide favorise Somerset plus que Saint-Léon. Mais à Somerset, village d'expression anglaise, «nous saisissions la défection des nôtres qui n'affichaient qu'en anglais et prenaient l'initiative de s'adresser d'abord dans cette langue à presque tous» (*DE* p. 53). Au niveau familial, les gens âgés qui continuent à parler français alors que bon nombre de leurs enfants ont adopté à jamais la langue anglaise, se trouvent incapables de communiquer avec leurs petits-enfants. Et cette défection linguistique est associée à l'effritement de la communauté francophone, dispersée un peu partout aux États-Unis et dans l'Ouest canadien où, par la force des choses, ils seront le plus souvent amenés à vivre en anglais.

Mais il va sans dire que la plus grande source d'angoisse provient des structures officielles du Manitoba, province de langue anglaise depuis l'abrogation en 1890 des droits des francophones[10]. Pour la jeune fille élevée à la française à Saint-Boniface, la prédominance de l'anglais dans bien des domaines de la vie quotidienne est une découverte souvent déroutante. De l'autre côté de la rivière Rouge, la ville voisine de Winnipeg, site du gouvernement provincial, est le centre politique du Manitoba. C'est également le centre de la vie économique, industrielle et commerciale de la province. Beaucoup d'habitants de Saint-Boniface doivent passer quotidiennement le pont Provencher, qui relie Saint-Boniface à Winnipeg, pour gagner leur vie en anglais dans la métropole. «La vie se joue sur deux plans distincts», dit l'auteure dans un article, «l'anglais, le jour, au travail, pour les affaires; le français, le soir, en famille, comme en un havre» (*FL* p. 116). Cet article publié en 1962 décrit d'un ton presque objectif la situation des Canadiens français de Saint-Boniface; pourtant l'autobiographie accuse un ton tout autre pour parler de l'expérience personnelle. Il arrive quelquefois à la jeune Gabrielle et à sa mère de traverser le pont

[10] Le Manitoba est redevenu aujourd'hui officiellement bilingue.

Provencher pour aller faire leurs achats aux grands magasins de l'avenue Portage. À ces occasions, mère et fille se sentent souvent gênées par les gens qui se retournent sur leur passage en les entendant parler français :

> Cette humiliation de voir quelqu'un se retourner sur moi qui parlais français dans une rue de Winnipeg, je l'ai tant de fois éprouvée au cours de mon enfance que je ne savais plus que c'était de l'humiliation (*DE* p. 13).

Dans les magasins, sa mère, qui ne sait pas l'anglais, s'embrouille continuellement et finit par se sentir mal à l'aise. Et même si des souvenirs plus heureux de la riche vie culturelle de Winnipeg viennent plus tard modifier ses impressions, cette ville constitue néanmoins un pôle négatif pour l'auteure.

«Quand donc ai-je pris conscience pour la première fois que j'étais, dans mon pays, d'une espèce destinée à être traitée en inférieure?» demandera-t-elle presque cinquante ans après avoir quitté le Manitoba (*DE* p. 11). Cette phrase d'ouverture de son autobiographie nous en dit long sur le souvenir cuisant qu'elle garde toujours de la honte, la gêne et l'humiliation ressenties toute jeune. Par ailleurs, cette première phrase souligne la destinée commune des Canadiens français, perçue comme une fatalité historique. Et ce sentiment d'une infériorité irrévocable ne manquera pas de resurgir en d'autres occasions, même dans la plus grande ville francophone du Canada :

> Plus tard, quand je viendrais à Montréal et constaterais que les choses ne se passaient guère autrement dans les grands magasins de l'ouest de la ville, j'en aurais les bras fauchés et le sentiment que le malheur d'être Canadien français était irrémédiable (*DE* p. 15).

Défection, humiliation, infériorité : aussi négatifs soient-ils, ces sentiments sont peut-être aussi la source du sens de solidarité qu'elle éprouve pour tous ses compatriotes canadiens-français. Or, l'abolition en 1890 de la langue française dans le domaine politique, suivie en 1916 par sa suppression dans les écoles du Manitoba, met fin à l'espoir de voir se rétablir les droits constitutionnels. Les francophones adopteront alors

> un comportement collectif basé sur le pragmatisme. Les objectifs étaient simples : faire le dos rond, consolider le sentiment d'appartenance, maintenir la langue, avancer très doucement dans les acquis. Le mot de monseigneur d'Eschambault a servi d'ordre de marche à plusieurs générations : Si nous voulons du français, c'est à nous d'en mettre[11].

Mais le prix de cette stratégie politique fut très élevé, explique Mélina Roy à sa fille :

> Le gouvernement du Manitoba... passa cette loi inique qui interdisait l'enseignement de la langue française dans nos écoles. Nous étions pris au piège... Nous avions toujours nos terres, nos coutumes, nos maisons... et notre langue que nous

[11] Jacqueline Blay, *Le centenaire des lois de 1890 au Manitoba*, p. 55.

> n'étions pas prêts à nous laisser arracher. Mais aussi c'est ce qui nous ruina : cette longue lutte, toutes ces dépenses pour préserver nos écoles (*DE* pp. 28-29).

Les disputes constitutionnelles auraient donc miné la prospérité de la communauté francophone du Manitoba, de même qu'elles ruinent la famille Roy au moment où le père de Gabrielle perd son poste d'agent colonisateur. Destinée familiale et destinée collective se trouvent inéluctablement entremêlées.

À l'époque où Gabrielle fréquente l'école, l'enseignement de toutes les matières scolaires se fait obligatoirement en anglais. Conformément au programme d'études établi par le *Board of Education*, le français n'a droit de cité qu'une heure par jour. Mais les religieuses de l'Académie Saint-Joseph, que fréquente Gabrielle, entendent donner aux élèves canadiennes-françaises confiées à leur charge une bonne formation française. S'il faut à tout prix enseigner la langue anglaise et sa littérature, elles n'en tiennent pas moins à enseigner la langue proscrite. Fidèles à leur héritage, elles font des leçons supplémentaires en français ou même prennent des libertés avec la loi, quittes à jouer le jeu des apparences si un inspecteur survient à l'improviste.

Jamais l'auteure n'oubliera les manèges amusants mais humiliants auxquels les francophones du Manitoba doivent se livrer. En 1939, elle décrit la situation dans un article de journal publié à Paris et intitulé *Comment nous sommes restés français au*

Manitoba[12]. Elle raconte les leçons de français enseignées en cachette et la création de l'Association d'Éducation des Canadiens français du Manitoba, dont le mandat est d'encourager les élèves francophones à ne pas négliger leur langue maternelle, malgré la loi scolaire et le milieu presque complètement anglais en dehors de Saint-Boniface. En 1954 encore elle consacre une partie de son article *Souvenirs du Manitoba* au «singulier programme d'études» qu'il a fallu suivre pour apprendre «la langue de la survivance, de la cause canadienne-française» (*SM* p. 5). Et son autobiographie traite en encore plus de détails de la ferveur que la communauté manifestait pour maintenir la langue française en dépit de la loi scolaire (*DE* pp. 69-76).

En même temps, pour les venger des humiliations subies dans les magasins de Winnipeg, sa mère l'encourage à apprendre l'anglais. Gabrielle Roy se souvient des paroles de sa mère dans son autobiographie. «Ce serait à moi», dit-elle, «l'esprit agile, la tête pas encore toute cassée par de constants calculs, de me mettre à apprendre l'anglais, afin de nous venger tous» (*DE* p. 15). Par ailleurs, la jeune fille veut faire de son mieux à l'école pour dédommager sa mère des sacrifices sans fin qu'elle s'est imposés (*DE*, p. 77). Elle apprend donc les deux langues, et réussit si bien qu'elle remporte le premier prix en anglais en plus de la bourse de cent dollars qu'elle reçoit en tant que première élève de la province en

---

12 Article publié dans *Je suis partout*, le 18 août 1939.

français. Mais l'importance relative des deux langues, l'anglais imposé et le français interdit, renforce à l'école le sentiment d'infériorité si souvent ressenti. Elle se souvient dans son autobiographie qu'elle se sentait tenue de rester à sa place, «la seconde» (*DE* p. 86).

Il est significatif qu'elle choisisse d'intituler la partie manitobaine de cette autobiographie *Le bal chez le gouverneur.* Ce titre, qui donne le ton à son récit tout entier de l'époque manitobaine, évoque une anecdote où percent des sentiments d'infériorité et d'humiliation. Ayant reçu une invitation au bal du gouverneur du Manitoba, ses parents se rendent à cette soirée de grande cérémonie en tram et se dirigent vers la résidence du gouverneur à pied, alors qu'à droite et à gauche roulent des fiacres qui les éclaboussent. Même habillés de leurs plus beaux costumes, ils ne se sentent guère à l'aise parmi les hommes en habit à queue et les femmes portant des robes à traîne et des gants longs. Mélina Roy, dans sa robe faite à la maison «crottée comme si [elle] revenai[t] des champs» (*DE* p. 101) et son mari intimidé et mortifié n'osent même pas entrer, se contentant de regarder par la fenêtre. Les mots du père, «Allons-nous-en, Mélina; ce n'est pas ici notre place», résument bien les sentiments de non-appartenance et d'infériorité des Manitobains de langue française, depuis l'abolition de leurs droits linguistiques.

Que ces sentiments soient inextricablement liés dans la mémoire de l'auteure au fait de parler français, cela se voit à maintes reprises. À une autre occasion, elle entre avec sa mère dans une boutique très chic de la ville, essayer une culotte d'équitation. «Nous avons détonné dans cette boutique comme cela ne nous était encore jamais arrivé», se souvient-elle (*DE* p. 57). Elle finit par concéder que la mauvaise grâce de la vendeuse provient du fait que sa mère ne se renseigne même pas sur les prix. N'empêche que la première explication qui lui vient à l'esprit, c'est qu'elles parlent français : «La vendeuse... nous avait démasquées du premier coup d'oeil, peut-être à ce que nous parlions français», suggère-t-elle (*DE* p. 57).

De l'adolescence à la vie adulte

L'École normale de Winnipeg, le *Winnipeg Normal Institute*, où Gabrielle continue ses études dans le but de devenir institutrice, est depuis la loi scolaire de 1916 un établissement strictement de langue anglaise. Et la future institutrice est amenée par ses cours de pédagogie à se poser des questions sur la formation tout en anglais de l'enfant de langue française. «Quelle chance a-t-il jamais d'atteindre l'épanouissement de sa personnalité?» demande-t-elle (*DE* p. 84). On peut croire d'ailleurs que grâce à sa propre expérience de Canadienne française, Gabrielle montre une vive sympathie pour les jeunes immigrants forcés de faire leurs leçons en anglais, langue qu'ils ignorent. Mais si dès ses premiers postes – quelques semaines comme suppléante à Marchand suivies d'une année à Cardinal – les élèves bénéficient de sa sensibilité à leur égard, en retour elle ne cessera de répéter à quel point elle-même tire profit de ses expériences. «Je crois que ce furent les plus belles années de ma vie», confie-t-elle au cours d'une interview avec la journaliste Alice Parizeau en 1966. Rien qu'à évoquer ses souvenirs de ses années d'institutrice, elle semble animée d'une ferveur presque religieuse. «Je crois qu'il n'y a rien de plus beau, rien de plus merveilleux, que d'enseigner dans une école perdue dans les plaines. Une école de rang, une école pour les tout-petits, c'est comme un temple![13]». Quelques années plus tard l'auteure reprend dans *Mon héritage du Manitoba* :

> Quand, en 1928, j'allai prendre charge de ma première classe dans le petit village de Cardinal, il se trouva qu'une bonne moitié de mes élèves étaient bretons ou auvergnats. Ce fut pour moi comme si j'avais passé cette année-là dans le Massif central ou dans quelque coin du Morbihan. J'eus la plus belle occasion de ma vie de me familiariser avec de savoureuses expressions régionales. Que c'est heureux, allant enseigner dans un village, d'en recevoir plus encore qu'on ne lui donne! (*FL* p. 153).

Bien des années plus tard, l'auteure fait revivre certains souvenirs de Cardinal en composant ses récits d'André et de Médéric, qui forment les derniers

[13] Interview avec Alice Parizeau publiée dans *Châtelaine*, avril 1966, pp. 44, 118, 120-123, 137, 140, avec le titre *Gabrielle Roy, la grande romancière canadienne*.

épisodes de *Ces enfants de ma vie*. «Ce fut, dit-elle dans son autobiographie, une des années les plus marquantes de ma vie, et qui fit de l'enfant gâtée que j'avais été une jeune institutrice appliquée à sa tâche, peut-être même excellente...» (*DE* p. 112).

Cependant, depuis la mort du père de Gabrielle, survenue pendant que l'auteure termine son stage à l'École normale, sa mère reste seule. La jeune institutrice sollicite donc un poste à Saint-Boniface. Embauchée à l'Académie Provencher, école bilingue, elle est chargée de la classe dite «anglaise» de commençants, classe composée de petits immigrants russes ou polonais, italiens ou tchèques en plus des quelques élèves d'expression anglaise. De cette expérience sont tirées quatre des nouvelles recueillies dans *Ces enfants de ma vie* : *Vincento, L'enfant de Noël, L'alouette* et *Demetrioff* – quatre enfants de diverses nationalités parmi tant d'autres. Il arrive à l'auteure une quatrième expérience d'enseignement très marquante, dans le pays de la Petite Poule d'eau, à environ quatre cents kilomètres au nord de Winnipeg. Cette école est tellement éloignée et difficile à atteindre qu'elle n'est ouverte qu'en été. Les souvenirs des deux mois d'été passés dans cette région sauvage seront transposés avec d'autres souvenirs dans le roman de *La Petite Poule d'eau*. Et si ce roman composé à la troisième personne est à la surface de caractère moins autobiographique, il atteste néanmoins le pouvoir évocateur du Manitoba.

Le départ du Manitoba

En demandant qu'on lui confie une classe d'été, Gabrielle Roy veut ajouter quelques dollars de plus à ses économies. Depuis nombre d'années déjà, l'idée de quitter le Manitoba la hante. Elle se sent peut-être à l'étroit dans sa vie de convenances et d'obligations; ou encore éprouve-t-elle «une sorte d'assèchement» (*DE* p. 139) provenant du repliement sur soi quasi inévitable de la vie à Saint-Boniface :

> On eût dit parfois que nous vivions dans quelque enceinte du temps des guerres religieuses, quelque Albi assiégée ou autre cité malheureuse protégée de tous côtés par des défenses, des barbacanes, des interdits. Où était la ferveur à la Jeanne d'Arc de mon adolescence, cette loyauté à nous-mêmes et à ce que nous avions de meilleur qui nous maintenait dans l'enthousiasme et une sorte d'audace frisant la révolte ouverte? (*DE* p. 139).

Ajoutons d'ailleurs le sentiment d'être une étrangère, l'idée qu'elle n'est pas chez elle au Manitoba, que sa vie est à faire ailleurs (*DE* p. 138). Pour quelque raison que ce soit, elle décide de quitter le Manitoba et de partir pour Londres et Paris, sous prétexte d'étudier l'art dramatique qui la passionne à cette époque. Il est vrai qu'elle participe pendant ses loisirs à une troupe ambulante de jeunes gens qui donnent des spectacles à la campagne; elle est membre aussi du groupe d'amateurs qui forment le Cercle Molière, troupe établie à Saint-Boniface pour présenter des pièces de théâtre en français. Mais il est néanmoins probable qu'elle veut surtout faire son apprentissage comme écrivaine – ambition dont elle nous fait part dans *La voix des étangs* ainsi que dans son autobiographie. Depuis quelque temps elle s'essaye à écrire des nouvelles et d'autres récits, non sans succès, puisque *The Jarvis Murder Case* paraît dans le *Winnipeg Free Press* en 1934 et trois autres récits de jeunesse sont publiés en 1936 : *La grotte de la mort, Cent pour cent d'amour* et *Bonne à marier.*

Elle reviendra dans son autobiographie sur sa décision de partir et sur les conflits qui s'ensuivent. À vrai dire, le départ du Manitoba ne s'effectue pas sans difficultés. À Saint-Boniface personne ne l'encourage :

> Notre petite ville française et catholique ne nous élevait pas au prix de tant de sacrifices, d'abnégation et de rigueur, pour nous laisser partir sans y mettre d'obstacles. Si elle l'avait pu, je me dis parfois qu'elle nous aurait retenus de force. Tout départ, étant donné notre petit nombre, était ressenti comme une désertion, un abandon de la cause (*DE* p. 211).

Dans sa famille, ses soeurs Anna et Adèle se montrent très hostiles à l'idée; elles lui reprochent de ne faire aucun sacrifice pour leur mère alors que cette dernière s'est toujours dépensée sans compter pour Gabrielle. «Tu nous abandonnes», accuse Clémence, dont l'entière charge retombe sur la mère (*DE* p. 212). L'écrivaine insiste pourtant que, loin de lui reprocher son départ, sa mère aurait exprimé sa reconnaissance envers la cadette, pour être restée auprès d'elle jusqu'à l'âge de vingt-huit ans. Et Bernadette, la soeur qui devait la soutenir jusqu'à la fin de sa vie, l'aide à vaincre ses scrupules.

Néanmoins, Gabrielle devait ressentir vivement sa désertion et son manque de solidarité. Sa culpabilité envers sa mère et les siens persiste à la hanter pendant tout le temps qu'elle reste absente et remonte à la surface chaque fois qu'elle reçoit une lettre de sa mère :

> Je tremblais à la réception de chacune de ses lettres, non parce que je craignais d'y lire des reproches ou des plaintes – elle ne m'en adressa jamais – mais parce que la seule vue de son écriture suffisait à ouvrir en moi un passage au souvenir de la douleur dont j'étais l'aboutissement, et dont il me semblait que je n'avais pas le droit de me tirer moi seulement. Ainsi je m'y sentais condamnée comme à un devoir (*DE* pp. 407-8).

Vivre en français, vivre au loin

À Paris d'abord, ensuite à Londres, elle suit bien quelques cours d'art dramatique mais elle s'adonne surtout à écrire des nouvelles et des articles. Elle envoie au journal manitobain *La Liberté et Le Patriote* des reportages sur l'Angleterre, alors que l'hebdomadaire parisien *Je suis partout* accepte une série de courts articles sur le Canada, dont *Comment nous sommes restés français au Manitoba* et *Noëls canadiens français*.

Au printemps 1939, rentrée au Canada à la veille de la Deuxième Guerre mondiale, Gabrielle décide de s'établir à Montréal. Dans *La détresse et l'enchantement* elle s'attarde sur sa décision de ne pas rentrer au Manitoba. C'est une décision qu'elle ne prend pas à la légère, car au Manitoba l'attendent sa vieille mère et son poste d'institutrice : la sécurité des siens et la stabilité financière. Elle nous fait part de cette décision qui devra s'avérer irrévocable en ces termes :

> Mais saurais-je, maintenant que je connaissais mieux, vivre dans cet air français raréfié du Manitoba, dans son air raréfié tout court? (*DE* p. 502).

Rompant les amarres, elle renonce à son poste pour choisir l'indépendance vis-à-vis de sa famille et la situation précaire de journaliste à la pige à Montréal. Elle ne retourne plus au Manitoba que pour de brefs séjours. C'est ainsi que sa province natale, avec son «air raréfié», s'apprête à devenir le pays littéraire du passé et du souvenir.

Pendant les années quarante, elle travaille au *Bulletin des Agriculteurs* et au *Jour*, périodiques qui publient ses reportages d'intérêt social sur les villes industrielles du Québec ou au sujet des divers groupes ethniques de l'Ouest. Certains des articles composés à cette époque, ainsi que des souvenirs du Manitoba, sont recueillis dans *Fragiles lumières de la terre*, volume paru en 1978. Ils attestent l'intérêt continu que l'auteure porte à sa province d'origine et soulignent par là même l'unité profonde de son oeuvre.

Tout en travaillant comme journaliste, elle écrit

des récits et des nouvelles, dont plusieurs sont publiés dans *La Revue moderne*. Avec la publication de *Bonheur d'occasion* paru à Montréal en 1945, Gabrielle Roy remporte un succès international[14]. Mais si ce premier roman décrit la vie dans la grande ville de Montréal, c'est le Manitoba laissé derrière elle que l'auteure retrouvera comme source d'inspiration de son deuxième roman, *La Petite Poule d'eau* (1950). Et les paysages enchanteurs de ses jeunes années semblent alterner au début de sa production littéraire avec le décor urbain : *Alexandre Chenevert* (1954) situé à Montréal est suivi de *Rue Deschambault* (1955); Pierre Cadorai de *La montagne secrète* (1961) va perfectionner son art à Paris mais dans les quatre épisodes de *La route d'Altamont* (1966) l'auteure retourne aux scènes variées de son enfance. Même dans *Cet été qui chantait* (1972), qui a pour cadre le village québécois de Petite-Rivière-Saint-François, surgit le souvenir de Yolande Chartrand, l'enfant morte de la première classe que la jeune Gabrielle a enseignée, à Marchand, village du Manitoba.

Cette source d'inspiration fragmentée se transforme vers la fin de sa vie en un véritable voyage de retour aux origines. Comme si elle voulait resserrer le cercle de la vie, elle ne cesse de scruter son passé

[14] Prix Fémina décerné par la France en 1947; «livre du mois» de la Literary Guild of America; médaille Lorne Pierce décernée par la Société royale du Canada (Société où elle est la première femme élue). Le roman sera traduit en huit langues et un film tiré du roman sortira en versions française et anglaise.

manitobain. D'abord, elle puise dans ses souvenirs d'ancienne enseignante pour rédiger *Ces enfants de ma vie* (1977). Et l'interrogation du passé, devenue plus insistante, l'amène à entreprendre aussi son autobiographie, *La détresse et l'enchantement* (publiée posthumément en 1984). *Le bal chez le gouverneur,* premier volet de cette oeuvre, porte justement sur l'époque manitobaine. Finalement, les deux dernières nouvelles qu'elle choisit de publier avant sa mort, survenue le 13 juillet 1983, privilégient encore une fois ses souvenirs de cette lointaine époque. Dans *De quoi t'ennuies-tu, Éveline?* il s'agit d'un voyage de la mère de la narratrice, qui se rend du Manitoba en Californie, alors que *Ely! Ely! Ely!* concerne un reportage effectué dans les années quarante au Manitoba[15]. S'étant distancée sur les plans spatial et temporel de la province de sa jeunesse, l'auteure la fait resurgir dans son imaginaire, empreinte de détresse et d'enchantement.

[15] *De quoi t'ennuies-tu Éveline?* nouvelle publiée en 1982 aux Éditions du Sentier (tirage limité de 200 exemplaires) est reprise en 1984 dans le livre *De quoi t'ennuies-tu, Éveline?* suivie de *Ely! Ely! Ely!*, Montréal, Boréal Express.

Chapitre 2

Les jeunes années

Est-ce que le monde n'était pas
un enfant? Est-ce que nous
n'étions pas au matin?

Rares sont les oeuvres de Gabrielle Roy où les enfants ne jouent pas un rôle quelconque. On se souvient du petit Daniel Lacasse dans son lit d'hôpital (*BO*), des enfants de Luzina dans leur paradis terrestre (*PPE*) ou encore de Jimmy, né d'une mère inuit et d'un père américain (*RR*). Le rôle des enfants est d'autant plus dominant dans les trois récits d'allure autobiographique que ceux-ci portent précisément sur l'enfance et l'adolescence. Mais bien que tous les trois soient écrits à la première personne, il convient de signaler une différence fondamentale qui oppose d'une part *Rue Deschambault* et *La route d'Altamont*, et d'autre part *Ces enfants de ma vie*. Dans les deux premières chroniques, ce sont les souvenirs de sa propre enfance que raconte la narratrice, alors que dans *Ces enfants de ma vie* elle relate les expériences d'enfance de quelques-uns de ses anciens élèves. Il y aurait donc avantage à considérer dans un premier temps les deux oeuvres antérieures, dans lesquelles il est question des jeunes années de Christine; par la suite on traitera des six nouvelles de *Ces enfants de ma vie*, dont chacune met en vedette un jeune garçon encore présent dans la mémoire de l'ancienne maîtresse d'école[1].

Christine enfant

On ne manquera pas de constater d'emblée que l'enfance de la petite Christine est placée, comme celle de l'auteure elle-même, sous le double signe paradoxal de la sécurité et de l'attrait de l'inconnu[2]. Tout d'abord, maison et ferme sont des havres de sécurité localisés dans l'espace agreste de la rue Deschambault ou la campagne manitobaine. C'est un cadre qui est susceptible de mettre en relief avant

---

[1] Voir Annette Saint-Pierre, *L'Ouest canadien et sa littérature*, dans *Frontières, Revue d'histoire littéraire du Québec et du Canada français*, Université d'Ottawa, vol. 12, 1986 :

«Gabrielle Roy a enseigné un mois à l'école de Marchand, un an à l'école de Cardinal, sept ans à l'école Provencher et un été à la Petite Poule d'eau. Mais ses souvenirs ne sont pas taris, puisqu'elle revient à l'école de Cardinal et à celle de Provencher dans *Ces enfants de ma vie*, un autre présent de l'auteure à ses compatriotes franco-manitobains» (p. 188).

Mme Saint-Pierre, qui connaissait Gabrielle Roy, ajoute que c'est au couvent de Saint-Jean-Baptiste, au Manitoba, que l'auteure compléta *Ces enfants de ma vie*, «entre des visites à sa soeur Clémence, domiciliée au Foyer d'Otterburne».

[2] Tels sont aussi les sentiments que Gabrielle Roy identifie comme fondamentaux dans sa propre enfance. L'article *Souvenirs du Manitoba*, paru quelques mois seulement avant *Rue Deschambault*, offre un parallèle autobiographique du récit fictif :

tout le thème romantique des correspondances entre l'homme et la nature. De plus, ces lieux sont décrits en termes qui évoquent le bonheur premier du jardin d'Éden, le paradis terrestre où se déroulent les jours d'innocence d'Adam et Ève[3]. Mais dans l'archétype biblique, ces derniers sont chassés du jardin d'Éden pour avoir mangé le fruit de l'arbre de la connaissance du bien et du mal. Et pour Christine aussi, l'état d'innocence première ne pourra durer pour toujours.

En grandissant, elle devra quitter le foyer familial et le jardin protégé de son enfance pour découvrir le monde. Quand l'adolescence succédera à l'enfance, elle fera ses premiers pas vers l'indépendance; elle ouvrira ses yeux sur la réalité du monde – beauté et laideur, générosité et mesquinerie, bien et mal – et grâce à ses expériences de la vie elle sera amenée à former ses propres jugements sur les qualités et les défauts des êtres et des choses. Plus tard, exerçant la profession d'institutrice, elle aura la possibilité d'observer ses élèves; elle constatera alors la condition générale de l'enfance, tantôt bonne tantôt mauvaise,

---

Mon enfance au Manitoba fut enveloppée d'une sécurité profonde. Sans doute nous eûmes à nous armer d'ingéniosité pour conserver notre langue, – les groupements canadiens-français de l'Ouest ne se sont pas maintenus sans épreuves ni sacrifices, – néanmoins ce que je me rappelle le mieux des premières années de ma vie à Saint-Boniface, c'est une impression de sécurité : de cette sécurité que donne à la vie un passé entretenu par des récits, des souvenirs, par un ordre social et moral éprouvé... Après l'impression de sécurité, je crois que ce que j'ai le plus fortement éprouvé durant mon enfance, c'est l'attrait de l'inconnu à deux pas de nous (*SM*, pp. 1, 6).

[3] Northrop Frye, *Le grand code : la Bible et sa littérature*, traduit par Catherine Malamoud, Collection Poétique, Paris, Seuil, 1984.

l'enchantement et la détresse. Cette prise de conscience progressive que l'on constate à travers les trois oeuvres met en évidence un véritable voyage de l'innocence à l'expérience, paradigme dont la portée dépasse sa valeur individuelle pour servir de leçon universelle.

L'espace familial : sécurité et soif de l'inconnu

L'enfance de Christine est une époque privilégiée, marquée par le bonheur de se sentir aimée et entourée par les membres de sa famille. En effet, la grande maison de la rue Deschambault lui offre une ambiance chaleureuse et protectrice, voire à l'occasion un refuge. Les signes de ce monde sécurisant englobent le cercle familial de ses parents, sa grand-mère, ses frères et soeurs, les jeux d'enfance avec ses camarades, la grande cuisine où l'on veille en hiver, les soirées d'été passées sur la galerie de la maison de la rue Deschambault. Avec son frère, elle va à la pêche dans la Seine, petite rivière à quelques pas de la maison. Sa grande soeur Alicia l'emmène jouer dans les champs ou faire des pique-niques. Même si elle s'aventure jusqu'au petit bois de chênes noirs, elle se sent encore en sécurité du fait que ce bois ne «cachait même pas tout à fait, au loin, le pignon de [sa] maison» (*RD* p. 168). Et le départ de sa soeur Odette n'est pas perçu comme un événement triste du moment que celle-ci laisse à Christine son ruban jaune. Bref, dans cet espace romanesque règnent l'ordre et la stabilité, l'amour et l'amitié propices à la sécurité profonde.

Dans *La route d'Altamont*, les signes de ce monde familier et rassurant se font plus rares; Christine se trouve moins encadrée, père, frères et soeurs étant pour ainsi dire absents du cercle familial, sans nom, sans vie propre. En plus des trois générations de femmes – Christine, maman et grand-mère – seuls se détachent quelques voisins : monsieur Saint-Hilaire ou monsieur Pichette, le déménageur, et sa fille Florence. De même, les références géographiques sont moins nombreuses, faites presque incidemment. Si l'on est toujours au Manitoba – Winnipeg et sa banlieue sont nommés, ainsi que les villages de Rathwell, Somerset et Altamont – ces quelques marques de la réalité sont estompées, évoquant moins l'espace réel que le pays onirique du souvenir.

Mais l'ambiance sécurisante de l'enfance n'est pas pour autant dissipée. Elle est recréée quelquefois d'une manière plus subtile par l'évocation du cycle récurrent des saisons, par exemple dans un segment descriptif énumérant les activités familières de l'automne et conduisant à la conclusion : «Telles étaient les joies de l'automne reposant sur l'abondance et un sentiment de sécurité que peut-être déjà je reconnaissais» (*RdA* pp. 41-42). D'autres fois cette ambiance est créée sur le plan événementiel par les occasions où Christine, ayant quitté le cercle familial avec une certaine inquiétude, finit par se retrouver malgré tout en sécurité. On pense à sa visite chez «mémère», qui arrive à s'attacher sa petite-fille en lui fabriquant une «catin»; ou encore à son retour à la maison après la «splendeur triste et étrange» (*RdA* p. 152) de la journée passée au bord du lac Winnipeg, quand elle retrouve la maison tel un havre et se jette dans les bras consolants de sa mère. Par de telles techniques descriptives et narratives, l'auteure sait reproduire la sécurité profonde dans laquelle baigne l'enfance de Christine.

À l'opposé du besoin de sécurité, Christine éprouve l'attrait de l'inconnu. De tous les personnages de Gabrielle Roy qui refusent la vie sédentaire pour se mettre en route, Christine est celui qui se montre, dès sa jeunesse, le plus marqué par l'attrait du voyage. Appel de l'inconnu, pouvoir de fascination qu'exerce l'étranger, soif de connaître, récits de voyage de sa mère, sollicitation de son moi profond : tous ces facteurs semblent entrer en jeu pour expliquer les innombrables voyages dont André Belleau rend compte : «Sans exagération, il n'est question que de voyages dans ces textes : voyages réels relatés par un tiers, ou faits ou projetés par l'héroïne, voyages imaginaires, besoin incoercible d'évasion, curiosité passionnée envers d'autres horizons[4]». Christine rend visite à ses nombreux parents à la campagne et elle accompagne sa mère en Saskatchewan et au Québec; elle écoute le récit du *Titanic*, observe l'arrivée et le départ de l'Italienne et suit par lettres l'odyssée de sa tante Thérésina Veilleux.

Aux yeux de la petite fille, tout est nouveau, objet

---

[4] André Belleau, *Le romancier fictif*, Sillery, P.U.Q., 1980, p. 47.

de sa curiosité. Le simple fait de passer du Manitoba en Saskatchewan pour la première fois est pour elle une aventure; et qu'un événement insolite et inattendu se produise au retour, cela suffit à la combler. Il s'agit des Doukhobors qui, en guise de protestation contre le gouvernement, ont brûlé un pont, obligeant les voyageurs à traverser la rivière dans un *handcar* pour attendre un train de secours de l'autre bord. Curieusement, elle dit retenir surtout de cette grande aventure des impressions auditives, «des bruits de rails, puis des éclats de voix» (*RD* p. 60). Mais la leçon essentielle qu'elle retire de ce voyage entrepris pour empêcher le mariage de sa soeur, c'est que l'amour – pour un homme ou pour un Dieu – prend quelquefois le mauvais chemin.

À vrai dire, tous ces voyages de *Rue Deschambault* sont liés à la découverte du monde, des êtres et des choses inconnus. Car malgré le sentiment de sécurité qu'offre le cercle familial, le jardin de l'enfance risque de devenir pour plusieurs raisons un lieu scellé. Comment l'enfant surprotégé ou trop materné saurait-il plus tard s'affranchir pour faire face à la vie? Et comment l'enfant curieux pourrait-il rester dans un espace si étroit pendant que l'inconnu exerce son attrait irrésistible? C'est la leçon de *Mon chapeau rose*, nouvelle dans laquelle Christine, poussée par l'ennui, quitte le jardin entouré de murs de sa tante. Assise sur la balançoire, image même de l'oscillation entre les deux pôles d'une sécurité devenue étouffante et de l'attrait de l'inconnu, Christine domine jardin et paysage, monde clos et espace ouvert :

> Quand j'étais assez haut dans le ciel, j'étais contente. Mais chaque fois que redescendait l'escarpolette, je me trouvais dans un jardin minuscule, enfermée de tous côtés. Mes trois cousines étaient en bas, au pied des deux petits arbres, assises sur des chaises de cuisine. C'étaient des petites filles élevées pieusement et sévèrement... Là-haut, je retrouvais la grand-route, des collines bleues et aussi la maison des deux vieux pelotonnés sur leur perron (*RD* p. 51).

Grâce à la complicité du vieux monsieur, elle trouvera le moyen de s'évader du jardin et de passer un après-midi plus agréable auprès de lui et sa femme.

Le voyage extérieur et intérieur

Justement, les découvertes que fait Christine proviennent le plus souvent d'une exploration volontaire de son milieu et de son monde. Il est vrai que son premier voyage de *La route d'Altamont* est entrepris à contrecoeur, parce que sa grand-mère a demandé qu'on lui envoie la «petite chétive» (*RdA* p. 10). Mais l'image qui clôt cette visite à mémère, celle de la poupée en pèlerine et chapeau, portant une valise à la main, devient le symbole même de Christine. Dès lors, il n'est guère surprenant de trouver la fillette, au début de la nouvelle qui suit, haut perchée sur des échasses pour voir loin dans la plaine, ou de la voir jouer à l'explorateur La Vérendrye, prenant solennellement possession des terres de l'Ouest au nom du roi de France. En effet, toutes les quatre nouvelles de cette chronique sont centrées sur un voyage au

Manitoba : chez mémère à la campagne; au lac Winnipeg, en compagnie d'un «doux et merveilleux vieillard» (*RdA* p. 61), monsieur Saint-Hilaire; dans les quartiers éloignés de Winnipeg en charrette de déménageur; et finalement avec sa mère par la route d'Altamont.

Mais ces lieux réels se trouvent investis d'une «dimension mythique[5]». À force d'estomper les marques de la réalité – références au cadre spatial ou indications d'ordre temporel – l'auteure a su rendre le Manitoba aussi étranger qu'un pays de rêve. Au voyage extérieur dans l'espace et le temps succède le vrai voyage, qui mène vers le monde intérieur, à la découverte de soi et de l'autre. Christine découvrira donc que sa vieille grand-mère si redoutable a des talents miraculeux. Et c'est en travaillant ensemble à la création de la poupée que la «grande vieille» et la petite fille se découvrent. De même, le lac Winnipeg sera le lieu de rencontre de Christine et monsieur Saint-Hilaire. Ce personnage répondra aux questions de Christine sur l'origine et la fin, la vie et la mort et la continuité entre passé, présent et avenir. Et grâce à cet interrogatoire philosophique, Christine sera amenée à apercevoir la valeur transcendante qui dépasse le vécu temporel.

Pourtant, le bénéfice philosophique n'est pas le seul aspect du voyage digne d'intérêt. On est frappé aussi par la vérité psychologique que le récit met

[5] L'expression est d'André Belleau, *op. cit.*, p. 145.

en évidence. Examinées à la lumière de la thèse féministe de Nancy Friday, de telles expériences s'avèrent indispensables au développement de la personnalité de l'enfant[6]. Celui-ci a besoin en premier lieu d'une période de symbiose avec sa mère, nécessaire pour lui donner son sentiment de sécurité physique et psychologique. Dans un deuxième temps, la séparation s'impose : l'enfant devra se détacher de sa mère afin de développer sa propre personnalité. Les voyages de Christine se chargent donc d'une signification nouvelle, celle d'étapes de séparation temporaire sur le chemin menant à son autonomie définitive.

Cependant, tous les voyages ne mènent pas à des expériences heureuses. Tandis que *Le vieillard et l'enfant* frappe par son caractère positif, en dépit des thèmes de la vieillesse et de la mort, la nouvelle qui suit dévoile l'ennui et le désillusionnement que Christine éprouve quand elle passe un samedi à accompagner un déménageur, sans la permission de sa mère. Envie impérieuse d'évasion, soif de découverte, besoin de se séparer pour un temps de la sécurité maternelle mais peur devant l'inconnu : tous ces éléments contribuent sans doute à l'angoisse qu'elle avoue ressentir à cette occasion : «...le désir qui me poussait si fort, et jusqu'à la révolte, n'avait plus rien d'heureux ni même de tentant, si j'ose dire. C'était bien plutôt comme un ordre» (*RdA* p. 165).

---

[6] Nancy Friday, *My Mother/My Self : The Daughter's Search for Identity*, New York, Delacourt Press, 1977, p. 131.

Contrairement aux expériences racontées dans les deux premières nouvelles, nulle transformation des êtres et des choses ne s'accomplit à cette occasion. Le trajet extérieur conduit la famille qui déménage (les Smith) d'une petite cabane mal bâtie à un logis encore plus pauvre et sordide. Mais c'est surtout sur le plan de l'intériorité que le voyage est un échec pour Christine, car il n'y a aucune possibilité de communication avec le déménageur, monsieur Pichette, et sa fille Florence, tant ces derniers font preuve de mauvaise humeur et de mesquinerie. Christine est obligée alors de reconnaître que la découverte de soi et des autres ne se fait pas toujours sans difficultés. Elle apprend aussi que de se lancer vers une destination inconnue, c'est risquer de se trouver déconcerté et désillusionné. Loin d'être un merveilleux voyage de découverte, le déménagement lui a révélé «une existence dont [elle] ne connaissai[t] rien, effroyablement grise, et qui [lui] paraissait pour ainsi dire sans issue» (*RdA* p. 172). C'est pourquoi le dénouement de cette aventure marquera un retour à la période de symbiose; sur le plan événementiel, elle devra retrouver la sécurité de sa mère et sa maison.

L'espace de la nature

Certes, le foyer et le jardin ne sont pas les seuls refuges de Christine. La rue Deschambault, «sans trottoir encore, fraîche comme un sentier entre des buissons d'aubépine, et, en avril, toute remplie du chant des grenouilles» (*RD* p. 9), offre d'autres joies à la petite fille sensible. Pour Christine comme pour Gabrielle Roy, l'espace intime du jardin qui prolonge la maison sécurisante donne à son tour sur l'espace illimité de la nature[7]. Ce contact avec la nature est d'ailleurs renouvelé chaque fois que Christine rend visite à ses oncles et tantes qui habitent à la campagne dans les fermes et les villages de la Montagne Pembina. Ainsi constate-t-on, parallèlement aux signes du cercle familial, ceux de la nature : le vent, le haut ciel du Manitoba, les nuages, le chant des oiseaux et des grenouilles, l'eau du ruisseau ou de la rivière et la bonne terre fertile où poussent fleurs et arbres de toute espèce. Grâce à cette ouverture sur la campagne, on rejoint à nouveau la littérature de la Bible avec son mythe pastoral à résonances multiples[8].

Avec sa vive sensibilité, Christine sait apprécier la beauté primordiale de la nature. Elle semble être en harmonie avec le rythme des saisons, réceptive à leurs aspects variés quelle que soit la saison de l'année. De son voyage en train avec maman vers la Saskatchewan, «le visage collé à la vitre» (*RD* p. 58), elle se rappelle la couleur pain brûlé du pays. Avec monsieur Saint-Hilaire au bord du lac, elle est

---

[7] À cet égard, la description ressemble à celle que l'auteure développe dans *La détresse et l'enchantement*, p. 46, où elle décrit la cour de ses parents, rue Deschambault. Les dimensions symboliques de ce parallèle sont développées dans le chapitre 5, *Un paysage symbolique*.

[8] Dans l'histoire de la littérature de l'Ouest canadien, ce mythe est d'une importance individuelle et collective primordiale. La signification du mythe pour l'auteure est exposée en détail dans le chapitre 5, *Un paysage symbolique*.

aussi attentive au chant de l'eau qu'à son visage changeant.

C'est également le spectacle de la nature qui apportera à la *Petite Misère*[9], accablée de douleur, une certaine consolation. Que son père, qui lui a donné ce nom détesté, lui jette les mots : «Ah! pourquoi ai-je eu des enfants, moi!» (*RD* p. 38), son monde bascule. Réfugiée au grenier, elle se livre à l'angoisse de l'enfant dont la sécurité est ébranlée et le paradis enfantin anéanti. C'est la nature en fête, contemplée par la lucarne du grenier, qui la réconfortera : le ciel avec ses beaux nuages blancs, le vent qui passe en sifflant à travers les hautes branches, et surtout les deux grands ormes qui lui révèlent que «le chagrin a des yeux pour mieux voir à quel point ce monde est beau» (*RD* p. 39). À une autre occasion, convalescente après sa coqueluche, elle apprend que la maladie offre la même compensation que le chagrin, à savoir la découverte de la nature, «le mouvement des feuilles d'un arbre quand on les voit d'en bas, sous leur abri; leur envers, comme le ventre d'une petite bête, plus doux, plus pâle, plus timide que leur face» (*RD* p. 84). Elle se console donc facilement de ses compagnons de jeux, ayant découvert que les jeux d'enfance ne sont que des «jeux vulgaires» (*RD* p. 84) à côté des nuages qui passent.

La nature offre ainsi un refuge à l'âme romantique de Christine. Elle représente pour la petite fille

[9] C'est effectivement le sobriquet que Léon Roy donne à sa dernière-née, à cause de sa fragilité. Marie-Anna Adèle Roy s'en sert aussi dans ses écrits sur la famille.

une ambiance accueillante, prête à refléter sa joie ou à la distraire de sa peine. Tour à tour complice et consolatrice, elle reste l'amie à qui elle peut se confier, quelles que soient les circonstances. Mais en plus de ce rôle proprement romantique, la nature se révèle comme espace de libération du moi. Et les plaisirs qu'elle procure à la fillette attirent cette dernière de plus en plus. Les jeux de l'imagination ou l'exploration du monde intérieur que favorise la nature lui permettent de s'évader hors du temps et de l'espace.

De l'innocence à l'expérience

En même temps, les descriptions d'un monde naturel frais et beau comme le jardin d'Éden remettent en mémoire le thème de l'innocence. Innocence du premier homme, certes, mais innocence aussi de Christine, dont l'enfance incarne l'éternel recommencement de l'expérience humaine. En apprenant que le chagrin et la maladie ne sont pas tout à fait exclus de la maison protectrice ou du jardin édénique, Christine a goûté comme Adam et Ève à l'arbre de la connaissance du bien et du mal. Même si l'angoisse qui s'ensuit n'est que transitoire, elle sert néanmoins à montrer la fragilité du bonheur de l'enfance au paradis terrestre.

Il arrive d'ailleurs à Christine de se demander si son bonheur ne serait pas fondé sur l'ignorance. La question se pose par rapport à Alicia, cette soeur timide et sensible dont la conduite est devenue embarrassante. Devant les explications évasives de sa mère et son manque de franchise, Christine est amenée à se demander : «Est-ce cela l'enfance : à force de mensonges, être tenue dans un monde à l'écart?» (*RD*, p. 166). Le mensonge et l'ignorance, la jeune fille les rejettera. Autant que l'appel de l'inconnu, ce sont ces signes de surprotection qui l'inciteront à quitter l'espace clos du foyer et le jardin de l'enfance. Même la mauvaise expérience du déménagement ne la décourage pas pour longtemps. Pour connaître le monde, elle est prête à s'exposer à la malveillance de monsieur Pichette et à la pauvreté sordide de la famille Smith, quitte à découvrir «tout ce côté usé, terne et impitoyable de la vie» (*RdA* p. 184) qu'elle ignorait auparavant. Que le passage du monde de l'innocence à celui de l'expérience soit pénible ou non, l'enfant se doit de le franchir.

Justement, les expériences négatives se multiplient pendant les années d'adolescence racontées dans les dernières nouvelles de *Rue Deschambault*. Les nombreuses difficultés qui se manifestent alors mettent en question ses opinions et jugements au point de rendre ses rapports avec autrui délicats, sinon problématiques. Il n'en reste pas moins vrai que c'est à travers ces relations souvent conflictuelles que l'adolescente forme ses propres valeurs. Le «grand amour absolument unique» (*RD* p. 226) qu'elle voudrait trouver auprès de Wilhelm le Hollandais tourne au banal. Et elle est déconcertée par l'hypocrisie de ses parents qui lui ont appris à aimer les étrangers mais qui se montrent intolérants à l'égard de Wilhelm[10]. Jugeraient-ils d'après ces «sottes apparences sociales», alors que Christine prétend découvrir les «braves qualités personnelles» (*RD* p. 226)? Dans *Les bijoux*, c'est la vanité qui est en cause. Selon sa mère, la vanité de Christine serait une faiblesse commune à beaucoup de femmes, un défaut que les hommes ne seraient que trop heureux d'exploiter. Même la joie de vivre de l'adolescence a un versant négatif, éventuellement nuisible, du fait que l'exubérance excessive des jeunes les incite à risquer leur vie (*La tempête*)[11].

Une des dernières étapes à franchir sur le chemin qui conduit de l'innocence à l'expérience, c'est celle qui assure à chacun son indépendance. Quitter définitivement la sécurité du jardin d'enfance pour assumer seul la direction de sa vie. Se séparer des siens pour subvenir à ses propres besoins. De tels changements présentent de nombreux obstacles d'ordre psychologique aussi bien que pratique. Comment quitter le jardin sans éprouver le sentiment d'être chassé du paradis terrestre? Face aux réalités de tous les jours, Christine aura besoin de courage et de force.

La voix des étangs et *Gagner ma vie* mettent en évidence l'incertitude et l'insécurité qui pointent

[10] Quelques années après la publication de *Rue Deschambault* l'auteure écrit : «Encore aujourd'hui, si j'entends dire par exemple à propos d'une personne habitant seulement quelques milles plus loin peut-être : «C'est un étranger...», je ne suis pas libre de ne pas tressaillir intérieurement comme sous le coup d'une sorte d'injure faite à l'être humain» (*FL* pp. 155-156).

[11] Ce que l'auteure appelle ailleurs «l'incroyable insouciance de l'adolescence» (*CV* p. 182).

chaque fois que se présente à elle le choix de carrière ou la nécessité de devenir indépendante. Elle se trouve tiraillée tout particulièrement entre son rêve de devenir écrivaine et la réelle nécessité de gagner sa vie. C'est un conflit d'autant plus difficile à résoudre qu'elle doute de son talent d'écrire et que sa mère la pousse à devenir institutrice. Et même si elle finit par se plier aux exigences de la réalité, ce n'est pas sans déplorer en termes plutôt amers son rêve brisé, se demandant s'il faut que tout songe soit évalué en vue d'un rendement (*RD* p. 282).

Tout concourt à apprendre à Christine que le monde réel est loin d'être un jardin édénique. Espace embelli par la nature, il est trop souvent enlaidi par les hommes, qui se montrent intolérants, hypocrites ou peu fiables. Dans un tel monde, l'enfant innocent et sensible risque d'être blessé même dans le jardin protégé de l'enfance, et à plus forte raison quand il s'aventure en dehors de ses murs protecteurs. Mais pour connaître l'harmonie et la beauté de ce monde, il faut en accepter aussi ses conflits et les compromis qu'il exige. Telles sont les conditions de la vie qui se révèlent au fil des nouvelles. Et au fur et à mesure que les deux versants du paradigme se dévoilent, Christine passe du grand rêve de l'enfance à la réalité de la vie adulte et de l'innocence à l'expérience.

Christine et les enfants

Dans *Ces enfants de ma vie*, Gabrielle Roy met en scène Christine institutrice, exerçant cette occupation acceptée à contrecoeur devant la nécessité de gagner sa vie. On retrouve dans ce texte certains des élèves qui figurent dans la dernière nouvelle de *Rue Deschambault* – Lucien et Lucienne Badiou, par exemple, les premiers enfants à inviter la nouvelle institutrice chez elle, ou encore Médéric, un de ces *toughs* (élèves durs) dont madame Toupin, sa logeuse, avait dit à la nouvelle institutrice de se méfier (*RD* p. 289). Puisque les chroniques de Christine se font suite de cette manière, il nous est donné de voir la relation entre son enfance et sa vie adulte. En même temps, les portraits d'autres enfants ouvrent une fenêtre sur la condition des enfants en général.

Le cadre de ce troisième recueil n'est pas la sphère étroite de la maison et du jardin de l'enfance, mais l'école. Pour la narratrice c'est «Un monde en soi... entre ces deux vies [celle de l'école et celle de la maison] existait une frontière pour ainsi dire infranchissable» (*CV* p. 99). En effet, il n'est guère question de l'école dans *Rue Deschambault* et *La route d'Altamont*, dont toutes les nouvelles sont centrées sur la maison; à peine voit-on dans ces oeuvres quelques références aux succès scolaires de Christine. Et certes, à certains égards les deux sphères de la maison et de l'école sont opposées l'une à l'autre – antithèse résumée le matin de la rentrée par le petit Vincento, terrorisé par l'étrangeté de l'école, et qui réclame la maison en criant en sa langue maternelle «La casa! la casa!» (*CV* p. 10). Ce changement de cadre, attribuable peut-être au désir de Gabrielle Roy de renouveler les sources de son inspiration, permet à l'auteure de regarder l'enfant dans un tout autre milieu et d'une optique bien différente.

Cependant, maison et école se ressemblent dans la mesure où l'institutrice est appelée à veiller sur les enfants comme une mère. Christine saura-t-elle aider les tout-petits à faire «leur premier pas dans un monde inconnu» (*CV* p. 7)? Pourra-t-elle leur communiquer le sentiment de sécurité, l'amour de la nature et cette ouverture au monde qui constituent ses propres valeurs d'enfance? En ce qui concerne la connaissance du monde, il est significatif que dans *Gagner ma vie* elle commence son enseignement par une leçon de géographie. Et dès les premières pages de *Ces enfants de ma vie* l'on remarque à quel point la jeune institutrice est consciente d'une double responsabilité à l'égard des valeurs de l'enfance : envers elle-même aussi bien qu'envers les élèves de sa classe. Un simple flocon de neige en forme d'étoile suffit à lui remettre en mémoire sa propre joie d'enfance, joie qu'elle voudrait partager avec ses élèves. «Pour boucler le jeu», dit-elle, «je cherchais à la magnifier afin qu'elle les accompagnât aussi tout au long de leur vie» (*CV* pp. 28-29).

En partageant la scène avec ses élèves, l'auteure dépasse les bornes de sa propre enfance pour privilégier l'enfance en général : la richesse innée de l'enfant, avec ses élans de générosité et d'amour, mais aussi la pauvreté et la tyrannie qui pèsent sur certains enfants. Christine ne peut s'empêcher de voir que la joie n'est pas le seul apanage de l'enfance.

Pas plus que la maison, l'école ne peut assurer le bonheur total. Si, de l'extérieur, le monde de l'école semble être à part, «protégé, épargné, la garantie de lendemains heureux... que n'annonçait-il pas déjà parfois de malheurs à venir, de tares déposées en de jeunes vies par des hérédités funestes» (*CV* p. 63). Au vrai, l'école serait le microcosme où se trouvent reflétés les problèmes de la société en général[12] : difficultés d'adaptation des immigrants, condition économique de familles pauvres ou d'enfants d'une mère seule, abrutissement de certains parents et leur brutalité envers leurs enfants, enfants envieux et parfois méchants les uns envers les autres. Pour toutes ces raisons, dans *Ces enfants de ma vie* il ne s'agira pas seulement du bonheur du jardin édénique de l'enfance et des jours d'innocence. En abordant avec son institutrice le monde de l'expérience, Gabrielle Roy expose dans chaque nouvelle un ou plusieurs problèmes, mettant en évidence les ombres au tableau de l'enfance. Elle développe ainsi un discours insistant sur les problèmes socio-économiques. Et l'on note que *Ces enfants de ma vie*, oeuvre de la fin de la carrière de Gabrielle Roy, rejoint son premier roman *Bonheur d'occasion* dans la mesure où les deux font état des problèmes sociaux.

Les élèves que l'auteure prend comme sujet

---

[12] Nous nous inspirons ici d'André Brochu, *Ces enfants de ma vie*, dans *Livres et auteurs québécois 1977*, Québec, Presses de l'Université Laval, 1978, p. 42, selon lequel «en traitant de sujets relatifs au micro-univers qu'est l'école, le narrateur a abordé tour à tour plusieurs problèmes de 'macro-sociologie'.»

d'écriture dans chaque nouvelle sont tous de nationalités différentes. Il s'agit d'abord de quatre des petits enfants d'une école de garçons en ville : Vincento, fils d'un immigrant italien, terrorisé par sa première journée à l'école; Clair, le petit *gentleman* anglais qui s'attriste de n'avoir rien à offrir à son institutrice à Noël; Nil, l'alouette ukrainienne, garçon doté d'une voix exceptionnelle; et Demetrioff, l'enfant russe qui se découvre un talent inattendu pour la calligraphie. Quant aux deux dernières nouvelles, elles traitent des enfants de la campagne : André Pasquier est un garçon français de dix ans et Médéric Eymard un adolescent de quatorze ans, de mère indienne. Dans les deux cas, certaines difficultés familiales les empêchent de profiter autant que possible de l'école.

Vincento

La première nouvelle annonce d'emblée la rupture avec la thématique du jardin de l'enfance établie dans les deux oeuvres précédentes. Le matin de la rentrée signale la transition de la sécurité du foyer à la première expérience de l'école. «Peut-il y avoir quelque chose de plus beau, de plus merveilleux, que ce tout petit enfant qui vient pour la première fois à l'école? Que ce tout petit être qui quitte sa mère pour découvrir le monde?» avait demandé Gabrielle Roy, l'ancienne institutrice, plusieurs années avant de publier *Ces enfants de ma vie*[13]. Cette expérience

[13] Ces propos furent recueillis par Alice Parizeau, *Gabrielle Roy, la grande romancière canadienne*, p. 121.

représente pourtant un moment crucial de l'axe entre l'attachement et le détachement, entre la symbiose et la séparation[14]. À la rentrée, il s'agit de rompre, souvent pour la première fois, le lien symbiotique qui avait assuré le rapprochement entre enfant et mère. De ce fait, c'est une expérience séparatrice susceptible de laisser désemparés enfants et parents.

Dans *Vincento*, la romancière s'avère consciente du traumatisme provoqué par la rentrée. Roger, minuscule à côté de sa mère, une femme forte qui le traîne par la main, pousse des hurlements. Renald pleure tellement quand sa mère le laisse que les autres enfants se mettent à pleurer avec lui, de sympathie. Mais l'histoire de Vincento sort de l'ordinaire puisqu'il s'agit de la séparation entre enfant et père, ce dernier aussi bouleversé par l'expérience que son fils. La symbiose entre Vincento et son jeune père est clairement identifiée par l'institutrice :

> Je reconnaissais à présent un immigrant des Abruzzes depuis peu arrivé dans notre ville. N'ayant pas encore trouvé à y exercer son métier de rembourreur, il se livrait çà et là à divers travaux. C'est ainsi qu'un jour j'avais pu le voir occupé à bêcher un carré de terre dans notre voisinage. Je me rappelai qu'il était accompagné de son petit garçon cherchant à aider, que tous deux en travaillant ne cessaient pour ainsi dire de se parler, pour s'encourager l'un l'autre sans doute, et que ce murmure en langue étrangère, au bout

[14] Voir Nancy Friday, *My Mother/My Self*, p. 131.

de nos champs, m'avait paru singulièrement attirant (*CV* p. 10).

Pour Vincento, la rentrée s'avère d'autant plus traumatisante que son apprentissage scolaire devra se faire en anglais, langue étrangère encore inconnue à ce fils d'immigrants. À la déchirante séparation s'ajoute donc le désarroi de pénétrer dans un milieu incompréhensible et indéchiffrable. Le drame de Vincento et de beaucoup d'autres enfants d'immigrants est celui d'une «petite créature brisée, sans soutien ni ami dans un monde étranger» (*CV* p. 12).

Christine se montre sensible à ce double drame[15]. Elle s'évertue à rendre l'école intelligible à tous les enfants de sa classe, se servant notamment de dessins au tableau. Et bien qu'elle ne semble pas avoir gagné la confiance de Vincento le matin de la rentrée, dès l'après-midi le petit garçon lui témoigne de la plus vive affection. Déjà il se sent en sécurité à l'école auprès de la maîtresse sensible et attentive aux besoins des enfants.

Clair

La violence des passions de Vincento, avec ses cris de frayeur et ses coups de pied, est bien mélodramatique à côté du triste désespoir de Clair. Ce dernier est un enfant modèle, «franc, adroit, intelligent, et, de surcroît, ce qui est rare chez un enfant

[15] La formation des enfants de langue étrangère était un problème qui préoccupait l'auteure depuis ses cours de pédagogie à la Winnipeg Normal School. Voir le chapitre 1, p. 41.

doué, tranquille» (*CV* p. 20). Cependant sans plus s'attarder sur les qualités qui font de Clair le meilleur élève de la classe, l'écrivaine aborde un problème qui dépasse largement le contexte scolaire.

Abandonnés par le père, dépourvus de ressources, Clair et sa mère sont parmi les plus déshérités des pauvres. En cette période de crise économique qui constitue le cadre temporel du recueil, la vie n'est facile pour personne. Mais la mère seule, qui ne trouve à faire que les corvées de ménage et les travaux de couture les moins bien rémunérés, arrive à peine à survivre au jour le jour. Sans les moyens pour offrir un cadeau de Noël à son institutrice, Clair se désole. «L'école apparaît alors comme un lieu où les inégalités sociales sont durement ressenties par les plus démunis, lesquels prennent justement, au contact des autres, la mesure de leur pauvreté, dans un monde où l'affection se prouve par l'offrande de biens matériels[16]», affirme André Brochu. Ce n'est pas que les autres enfants aient grand-chose à offrir pendant ces années de la Dépression – une pomme, une image toute chiffonnée de la Vierge du Perpétuel Secours, des roses en papier. Mais Clair ressent d'autant plus cruellement sa condition de petit garçon aux mains vides que, de son côté, l'institutrice distribue à chaque élève de sa classe un petit cadeau.

L'impossibilité de lui offrir un cadeau en retour est sans doute le sentiment qui pousse le petit garçon

[16] André Brochu, *art. cit.*, p. 41.

à fondre en larmes. Mais d'autres sentiments entrent en jeu aussi : la prise de conscience de son infériorité par rapport aux autres, sa dignité blessée, l'humiliation et jusqu'au désespoir. La pauvreté écrasante de Clair est donc susceptible de l'atteindre dans son for intérieur. Comme pour souligner le drame psychologique au niveau du texte, son dénuement ne se manifeste guère à l'extérieur; ses vêtements usés sont d'une propreté éclatante puisque sa mère refuse le laisser-aller et la négligence de ceux qui ont perdu leur dignité. En revanche, le sous-texte développe une critique implicite du système socio-économique de l'époque : il accuse le père déserteur, le système scolaire qui ne donne pas à la femme les moyens de gagner sa vie, l'exploitation des pauvres par les riches, qui ne leur paient pas un salaire honnête. Mais la pauvreté ne se mesure pas seulement en termes matériels. Le vrai visage de la pauvreté est celui du jeune garçon désespéré qui n'a rien à offrir à sa maîtresse comme preuve de son affection.

Un vieux mouchoir fané suffit à rendre à Clair son naturel joyeux et à lui faire oublier l'humiliation. Pour remettre ce cadeau d'occasion à l'institutrice et pour retrouver sa dignité, il est prêt à affronter la tempête de neige qui fait rage le jour de Noël. Arrivé à l'improviste, il fait à son insu un don plus grand, le don de soi, car sa visite offre à la mère de son institutrice «un peu de l'enfance de ses enfants devenus vieux, malades, ou disparus dans la mort» (*CV* p. 35). Le récit de Clair se termine ainsi sur une note optimiste. L'enfant a retrouvé l'espoir qui soulage la pauvreté et en même temps il a permis à la vieille femme de revoir le bonheur de l'enfance.

Nil

Contre les inégalités sociales, l'institutrice n'a souvent qu'une seule arme : la possibilité de découvrir et de développer les talents individuels qui compenseront peut-être les problèmes familiaux ou sociaux de ses élèves. Dans les deux nouvelles qui suivent, l'auteure passe de la description des tempéraments à celle des talents. De nouveau, les enfants qui en sont les personnages principaux viennent du milieu défavorisé des immigrants pauvres, se trouvant par là dans un espace romanesque ni édénique ni utopique. Nil, de famille ukrainienne, habite dans une cabane faite de vieilles planches et de rebuts et située à la lisière de la ville dans un bidonville qui sent l'abattoir. La famille Demetrioff, d'origine russe, habite dans «la petite Russie», où le père s'occupe de sa tannerie, une «branlante baraque en planches» (*CV* p. 74), caractérisée elle aussi par une abominable odeur. La laideur de l'environnement est elle-même signe de la pauvreté, le décor servant à révéler la précaire situation économique des parents et, par conséquent, des enfants[17]. Mais au lieu de s'apitoyer sur le sort de ces enfants de la misère, Roy décrit le talent individuel qui leur permettra de s'en tirer.

---

[17] Voir Myrna Delson-Karan, *Ces enfants de ma vie : Le testament littéraire de Gabrielle Roy*, dans *Revue francophone de Louisiane*, vol. 3, n° 2, hiver 1988, pp. 66-67.

Dans le cas de Nil, c'est sa voix captivante comme celle de l'alouette des champs : «Qu'il chante, et il n'y a pas de coeur qui ne se sente allégé!» (*CV* p. 43) dit le directeur de l'école. Avec ses chansons de l'Ukraine, Nil semble en effet exercer une influence bénéfique sur presque tous ceux qui les écoutent, l'enseignante et sa mère les premières. Cet accent mis sur l'importance du chant n'est pas surprenant, compte tenu du rôle que la culture en général jouait dans la vie de l'écrivaine à l'époque où elle enseignait à Saint-Boniface. Membre d'une troupe d'acteurs et du Cercle Molière, la jeune Gabrielle privilégie surtout le théâtre; mais les concerts l'attirent également.

D'où vient cette disposition à la joie que Nil communique si allègrement à autrui? L'auteure s'applique à montrer que, bien que vivant dans un quartier des plus pauvres, cet enfant n'est pas lui-même défavorisé. Si sa cabane est construite comme les autres habitations de vieilles planches et de rebuts, elle paraît néanmoins «d'une singulière blancheur, propre et douce...» (*CV* p. 58); en outre, elle est située dans un enclos parfumé par l'odeur d'une jacinthe, et résonnant du chant des grenouilles. Ce clos aménagé par Paraskovia Galaïda, la mère de Nil, représente sans aucun doute le jardin de l'enfance, fleurissant contre toute attente dans cette «zone de déshérités» (*CV* p. 57). Maison et jardin constituent un havre d'amour sécurisant pour l'enfant. Il suffit de ce petit espace pour protéger son innocence et assurer son bonheur.

Cependant, Roy pousse plus loin son image de l'enfance heureuse. Elle montre que pour s'épanouir, il ne s'agit pas exclusivement de bonnes conditions matérielles. Il faut en plus un certain climat spirituel, une ouverture sur les valeurs culturelles et esthétiques qui enrichissent la vie. À l'amour et au dévouement maternels s'ajoutent donc les fleurs, les chants ukrainiens et les traditions transmises de génération en génération. Ancré dans la sécurité, l'enfant pourra alors faire fructifier ses talents. De ce fait, Nil saura triompher des circonstances les plus défavorables. Pour lui, mère et maîtresse, maison et école travaillent ensemble dans la même direction.

Demetrioff

Par contre, la tannerie des Demetrioff, du côté de la «petite Russie», ne favorise en rien l'épanouissement des enfants. Elle n'offre aucun refuge dans un milieu d'habitations pitoyables, construites au petit bonheur et flanquées de bicoques et de remises. La nature elle-même semble avoir abandonné cet endroit, habité par des immigrants venus de l'Europe de l'Est, et placé sous le signe de l'exil :

> Un vaste champ à l'abandon... Toutes les mauvaises herbes de la plaine en étaient, jusqu'au *tumbleweed* qui ressemble si parfaitement à de vieux rouleaux emmêlés de fil de fer. En ce temps de l'année, elles étaient évidemment à l'état de dépouilles... Un vent triste hantait ce champ nu (*CV* p. 74).

Une à une, les composantes du jardin édénique

de Nil sont tournées en dérision : au lieu d'embaumer l'environnement, la tannerie répand «une abominable odeur... à soulever le coeur» (*CV* p. 74); à la place de la jacinthe, fleur emblématique du printemps, le *tumbleweed*; au chant de grenouilles triomphant s'oppose la rumeur du flot brunâtre. Contrairement à la cabane blanche et propre de Nil, la tannerie est décrite par une des collègues de Christine comme «une espèce de trou sombre où l'on entend gronder de l'eau et où l'on aperçoit, noirs comme des démons, s'agiter les enfants Demetrioff sous les jurons du père» (*CV* p. 64). Dans cet espace romanesque mis en contrepoint de l'espace paradisiaque de Nil, tout est signe d'un enfer biblique.

L'effet de contraste est souligné par les portraits des deux mères. Autant Paraskovia Galaïda est forte et active, capable d'assurer le bonheur de son fils, autant madame Demetrioff semble avoir abdiqué ses responsabilités maternelles. Décrite à deux reprises comme «impassible», elle est impuissante même à protéger ses fils contre la brutalité de leur père. Devant le tribunal où celui-ci comparaît, accusé d'avoir maltraité son fils Ivan, la mère témoigne à sa décharge en disant qu'il «n'avait jamais puni les enfants plus qu'ils ne le méritaient» (*CV* p. 70).

Encore faut-il ajouter la véritable litanie de problèmes qui opposent la famille Demetrioff et l'école. Pas un de ces enfants, qui arrivent à l'école ne parlant que le russe, n'a jamais réussi son année : enfants entêtés, rebelles à l'enseignement; absences prolongées parce que le père les garde à travailler; père lui-même illettré, brutal envers les enfants... Le dernier Demetrioff, héritier de cette tradition, n'a guère de chances d'en réchapper. Cependant, l'institutrice découvre et encourage le talent calligraphique de cet enfant coriace. Et, lors de la journée des parents, Demetrioff père est tellement émerveillé par le talent inattendu de son petit dernier qu'il lui fait des gestes de tendresse à la place de ses coups habituels :

> [L'enfant] était le point de mire de la classe entière figée dans un silence attentif. Il écrivait, si j'ose dire, s'il est permis de parler ainsi, comme inspiré. Il s'appliquait, c'était indéniable, un bout de langue sorti, une moiteur sur les côtés de la tête, mais en même temps il paraissait soulevé par une force au-dessus de la sienne, une ferveur qui aurait été collective, mystérieuse, infinie (*CV* p. 87).

Dans cet espace urbain peuplé de déshérités, le contexte social et familial comporte souvent de graves difficultés pour les élèves. Le rôle de l'institutrice revêt alors un caractère de mission qui n'est pas sans rappeler les mots de l'auteure interviewée en 1966 par Alice Parizeau : «une école pour les tout-petits, c'est comme un temple!» (voir plus haut, p. 42). Dans ce lieu, l'enseignante peut exercer un empire considérable sur les destins qui lui sont confiés. En aidant les enfants à s'intégrer à l'école (et ainsi à accéder à la société) et en découvrant les talents qui leur permettront de triompher de la misère omniprésente, elle saura rendre à ces innocents l'espoir d'un paradis terrestre.

André

Compte tenu de la prédilection royenne pour la nature, on s'attend à trouver dans les deux derniers récits de *Ces enfants de ma vie* un milieu plus favorable à l'entier développement de l'enfant. En effet, ces récits mettent en scène des enfants vivant à la campagne, espace qui, contrairement à l'espace urbain, suggère ouverture et liberté[18]. En outre, avec le retour à la campagne on rejoint le mythe pastoral d'origine biblique qui fait rêver à un séjour terrestre paradisiaque dans une nature accueillante. Au moins peut-on espérer que la nature compense l'inégalité des conditions sociales et la pauvreté matérielle.

Mais pour André Pasquier, qui va avoir onze ans, et Médéric Eymard, quatorze ans, le milieu rural pose autant, sinon plus de problèmes qu'aux enfants de la ville. Aux deux garçons manquent les soins qu'une mère comme Paraskovia Galaïda prodigue à ses enfants, puisque la mère d'André est obligée de garder le lit pendant une grossesse difficile, et la mère indienne de Médéric s'est enfuie peu après la naissance de son fils pour rejoindre sa tribu. Quant aux pères, celui d'André n'arrive pas à faire vivre sa famille en cette première année de la Grande Dépression; et Rodrigue Eymard, quoique plus aisé, offre encore moins d'appui à son fils, car depuis le départ de sa femme il est devenu ivrogne. Dans les deux cas –

[18] Marc Gagné qualifie les villes royennes comme «espaces de promiscuité». Voir surtout le chapitre *Images et espace* dans *Visages de Gabrielle Roy*, Montréal, Beauchemin, 1973, pp. 97-133.

d'André qui ne peut aller à l'école et de Médéric qui ne veut y aller – l'institutrice redouble de soins pour suppléer aux insuffisances de la famille.

L'histoire d'André Pasquier est d'autant plus tragique que ses parents, ayant laissé leur patrie, sont sans doute venus dans l'Ouest pleins de l'espoir de trouver une vie meilleure pour leur famille. Mais comme tant d'autres immigrants, d'abord à l'époque de la colonisation de la Prairie, ensuite pendant les années trente, ils se voient souvent condamnés à une vie de peine et de misère. La vie des colons qui habitent dans la plaine autour du village où elle enseigne est décrite par la narratrice-institutrice. À force de peiner sans arrêt et de s'entraider, la plupart de ces familles originaires de France arrivent malgré tout à joindre les deux bouts. Leurs enfants fréquentent régulièrement l'école, faisant le long chemin à pied ou dans un grand traîneau conduit par un des pères. Mais quelques parents éprouvent des difficultés cruelles.

C'est le cas des Pasquier, arrivés récemment de France, et qui n'ont pas encore acquis l'expérience nécessaire pour faire face à la Dépression. Le travail en forêt, loin de la maison, que le père accepte pour faire vivre la famille, l'oblige à tout confier à André : sa mère enceinte et souffrante, son petit frère, le bétail et la maison. C'est un travail lourd pour un homme, quasi impossible pour un jeune garçon. De surcroît, la famille est trop indépendante à l'égard des autres et elle refuse l'aide de ses voisins.

De toutes les privations physiques et psychologiques que l'enfant doit endurer dans cette situation où il est appelé à jouer un rôle d'homme, celle que Roy souligne est la scolarité interrompue. Il va sans dire qu'André n'a guère le temps de fréquenter l'école. Or, l'institutrice fait tout son possible pour compenser la fatigue de cet élève et ses absences. Mais malgré tous ses efforts, joints à ceux d'André lui-même et de sa mère, il sera presque impossible au garçon de faire son année. Pour cette raison, la maîtresse d'école «déterminée à apporter au moins la possibilité d'en sortir par l'instruction» (*CV* p. 97) n'atteindra probablement pas son but. Il est clair que contre un tel concours de circonstances économiques et familiales, enseignante et école sont impuissantes et ne peuvent fournir à l'enfant les moyens d'échapper aux conditions de détresse matérielle qui prédominent.

Médéric

Au contraire d'André, qui ne quitte l'école que par nécessité, Médéric ne la fréquente qu'à contre-coeur. C'est un adolescent plus âgé que les autres élèves et d'autant plus seul qu'il vit avec son père dans une grande maison isolée, perdue dans la campagne à plus de trois milles du village. Sans présence maternelle, leur «château» est une triste parodie du lieu solitaire de repos et de recueillement cher aux âmes romantiques. À leur isolement s'ajoute d'ailleurs l'aliénation des voisins, provoquée par l'ivresse du père et la mauvaise conduite du fils. Cette fois, ce n'est pas le dénuement et la détresse matérielle que l'écrivaine met en cause. À tous les égards, Médéric est autant à plaindre qu'André, mais son appauvrissement se situe non sur le plan matériel mais dans le domaine moral. Dans une telle situation, que peut l'école? Quel est le rôle de l'institutrice?

Comme dans les cas de Nil et du petit Demetrioff, la perspicacité de l'enseignante l'amène à dégager les qualités de l'adolescent. Aliéné des gens, ce dernier s'est en revanche rapproché du monde naturel; s'il n'a pas les connaissances livresques d'un garçon de son âge, il en sait plus long sur le monde naturel. Avec son amour de la nature et son goût de la solitude, ses passions et ses rêveries, Médéric serait alors un vrai romantique, exilé dans un milieu familial et social hostile mais se réfugiant dans «l'innocente terre entière» (*CV* p. 151). Et l'institutrice apprécie d'autant plus cette facette de son caractère qu'elle-même est d'un naturel romantique. Roy semble montrer qu'avec l'intervention d'une enseignante sensible, l'école devrait pouvoir porter remède à l'insuffisance familiale. Cet adolescent, qui se trouve en difficulté largement par la faute de son père, devrait arriver à surmonter les circonstances défavorables.

S'il ne s'épanouit pas malgré les efforts de l'institutrice, ce sera surtout à cause de la bassesse des gens. En effet, les villageois ne sont pas peints comme d'heureux habitants d'un espace édénique. Ils sont mesquins et bornés, comme la logeuse de Christine; ils imposent leurs règles de bienséance et de bonne conduite en épiant les deux jeunes gens ou en les critiquant. Quant au père, au cours du dîner auquel il convie l'institutrice, il fait figure d'âme damnée en voulant forcer l'amitié entre elle et son fils. C'est ce climat ambiant de hargne, suspicion, médisance et surtout l'incompréhension des autres, qui éloigne enseignante et élève l'un de l'autre. Pire encore, Médéric cesse de fréquenter l'école, si bien qu'il ne pourra pas profiter de l'instruction pour contre-balancer le dangereux exemple de son père. Pour l'institutrice, convaincue que l'école constitue pour Médéric sa «seule vraie échappée» (*CV* p. 179), c'est un échec. Roy montre que le climat moral de la famille ou de la société est aussi apte à contrecarrer l'action de l'école que la détresse matérielle.

Christine et l'enfance enfuie

Dans ce dernier récit, il est autant question de Christine que de Médéric. L'institutrice «à peine sortie des rêves d'adolescence» (*CV* p. 140) n'est guère plus âgée que son élève; les deux se rencontrent ainsi à ce carrefour entre l'innocence de l'enfance et l'expérience de l'adulte. Entremêlée au discours sur les difficultés de Médéric, se fait donc entendre en sourdine la voix de Christine qui revient sur le thème du paradis perdu de l'enfance. Ce qui semble ramener Christine au rêve enfantin, c'est le contact avec une réalité souvent attristante, telle la condition matérielle ou morale des élèves, ou tout simplement banale comme la bassesse des villageois. De surcroît, la vie adulte s'avère monotone et décourageante à la jeune fille qui, à dix-huit ans, vient d'en assumer les responsabilités : «Si jeune, je me voyais enfermée pour la vie dans une tâche d'institutrice. Je n'en voyais plus le côté exaltant, seulement sa routine implacable» (*CV* p. 147).

Gabrielle Roy peint Christine comme un personnage placé sous le signe d'un romantisme passionné. Comme tout personnage romantique, elle garde la nostalgie de son enfance, époque d'exaltation dominée par le rêve et imprégnée d'idéal et d'absolu. Elle pense même pouvoir retrouver ce «vert paradis des amours enfantines» avec l'aide de Médéric :

> Franchie la limite du royaume où hier encore, à l'égal de Médéric, j'avais été à l'aise, je rêvais d'y retourner avec lui pour guide, m'imaginant possible, dans ses pas, de trouver accès à la frontière perdue (*CV* p. 151).

Chez le personnage romantique qui découvre une âme soeur, il n'y a rien d'étonnant que la sympathie se transforme en amitié et l'amitié en un amour d'une pureté romantique. C'est le cas entre institutrice et élève, qui vivent alors, dans un espace naturel accueillant, l'amour pur et idéal des esprits romantiques. Rien d'étonnant non plus que cet amour naissant soit mal compris par les petits esprits du village. Roy s'applique pourtant à en dévoiler les aspects noncharnels. Quoi de plus significatif à cet égard que cette aspiration vers la mort que Christine ressent au moment où, avec Médéric, elle est perdue dans la tempête :

> … je m'abandonnai au rêve de partir de cette vie. Je nous voyais saufs, échappés au mal, à l'hérédité mauvaise, à l'enlaidissement de soi que l'on craint peut-être plus que tout dans la fierté de la jeunesse (*CV* p. 181).

Toutefois, ce côté macabre du romantisme, expression d'une profonde inadaptation au monde réel, ne persiste pas chez Christine. D'ailleurs, l'amour romantique qu'elle éprouve pour Médéric s'évanouira à la lumière de la réalité. Il restera de cet épisode un énorme bouquet composé de toutes les fleurs de la tendre saison, en souvenir de leur amour romantique de printemps.

Gabrielle Roy et la condition enfantine

Pour ce qui est de la thématique de l'enfance, certaines composantes se découvrent progressivement à travers l'oeuvre. Il s'agit tout d'abord de l'enchantement de l'enfant, heureux de se trouver dans la sécurité du foyer ou dans un jardin où tout est douceur. C'est le thème de l'innocence, lié à l'archétype biblique du jardin d'Éden, et véhiculé surtout à travers l'enfance de Christine. Mais au fil des ans, cet état d'innocence première conduit inéluctablement à l'expérience; le bonheur idyllique du rêve d'enfance s'efface devant la réalité de ce monde. Que ce soit Christine ou un autre, en famille ou ailleurs, en milieu urbain ou rural, les signes de la vie réelle se montrent. Ce versant du paradigme révèle à l'enfant la détresse, faisant naître chez certains le grand rêve romantique du paradis perdu.

Dans les deux premières oeuvres, cette détresse est peu évidente. Mais dans *Ces enfants de ma vie* le thème voilé et fragmenté de la misère enfantine fait surface et finit par dominer les autres aspects de l'enfance. Ce texte centré sur l'école fait état de très peu de bonheur. Les enfants font tout jeunes leur apprentissage du monde de la réalité. La campagne est à bien des égards une mise en dérision du jardin édénique, un jardin d'après la chute. Quant à la ville, elle est peinte en termes d'un espace diabolique. Et qu'ils soient fils d'ouvriers ou de pionniers, les enfants partagent les conditions de vie matérielle de leurs parents : logements déplorables, vêtements à peine convenables surtout en hiver, manque d'emplois en ville pendant cette crise économique et travail harassant à la campagne. De surcroît, ils doivent supporter les conséquences des décisions que les parents ont prises à leur place. Au mieux, les parents assument leur pauvreté avec dignité, refusant de se laisser écraser par la misère omniprésente; ceux-ci font tout leur possible pour donner à leurs enfants un amour sécurisant. Mais au pire, des parents excédés exposent leurs enfants à des situations morales compromettantes par leur indifférence ou leur abrutissement.

Quelle est la position de Roy? Si, comme nous avons dit, elle rejoint dans cette oeuvre ses préoccupations sociales de *Bonheur d'occasion*, elle ne fait pas pour autant une oeuvre à thèse. Mais son discours sur la misère enfantine fournit un contrepoint à l'enfance heureuse. En épousant le point de vue de l'enseignante solidaire avec les enfants, elle prend position implicitement contre le système socio-politique des années trente; elle dénonce les structures qui permettent l'exploitation des minoritaires et des marginalisés; elle révèle surtout les conséquences déplorables pour les enfants.

Curieusement, elle ne s'apitoie pas trop sur ces enfants de la pauvreté. Dans tous les cas, elle montre que l'école constitue l'espoir : Vincento apprendra l'anglais, Clair réussira dans la vie comme à l'école, Nil et Demetrioff auront l'occasion de développer leurs talents. L'institutrice le dit bien à Médéric : l'école est la seule échappatoire. Si les parents sont condamnés à la marginalité, voire à l'exclusion, les enfants pourront devenir citoyens à part entière. Pour l'ancienne enseignante qu'est Gabrielle Roy, cette doctrine qui veut que l'école soit un lieu d'action sociale n'est pas étonnante. Certes, les possibilités d'intervention des enseignantes sont limitées dans le domaine matériel, d'autant plus que leur salaire pendant la Dépression n'est guère suffisant pour leurs propres besoins. Toutefois, il est vrai que dans la formation de la société de l'Ouest, l'école a bel et bien été un moyen d'intégration et un instrument d'accès à la société, en fournissant aux nouveaux venus instruction et soutien moral. S'il y a très peu de bonheur dans ce recueil, il y a quand même beaucoup d'espoir.

Cependant, à un moment donné, Roy avait été beaucoup plus révolutionnaire. Elle avait rêvé à l'action politique comme solution à l'injustice sociale. Certains témoignages nous révèlent une auteure qui est en relation profonde avec les événements et la pensée idéologique de son temps. À Winnipeg, elle avait fréquenté le milieu socialiste de J.S. Woodsworth, dont elle connaissait la fille Grace[19]. À son retour d'Europe, enflammée par les doctrines marxistes, elle aurait dit à sa soeur Marie-Anna Adèle : «Moi, je partage ses idées... Oui, j'adhère au communisme et quand il triomphera en Amérique, je serai une des premières à chanter l'Internationale[20]». À Montréal, elle partage avec les habitants du quartier Saint-Henri, où elle s'installe, la misère de ce milieu populaire. Elle fréquente alors un groupe de socialistes, dont le critique Henri Girard et des journalistes de gauche[21].

Mais, après le succès de son premier livre, il semble qu'elle fasse passer son oeuvre d'écrivaine avant l'action sociale. Les préoccupations socio-économiques qui font partie intégrante de la trame textuelle de *Bonheur d'occasion* sont alors souvent

---

[19] À ce propos, Ben-Z. Shek cite un ariticle intitulé «Gabrielle Roy ou la condition humaine», paru dans *Le Droit* d'Ottawa du 23 juillet 1983 (p. 6) et signé Fulgence Charpentier : «Les deux femmes se voyaient souvent, soit à Ottawa, soit à Winnipeg, deux âmes faites pour se comprendre, écrit Charpentier. Sous ses apparences timides et réservées, la future romancière se passionna pour les idées nouvelles et les combats qui se livraient sur la place publique contre les injustices et les abus de pouvoir», *De quelques influences possibles sur la vision du monde de Gabrielle Roy : George Wilkinson et Henri Girard*, dans *Voix et images*, vol. 14, n° 3, p. 451.

[20] Voir Paul Genuist, *Marie-Anna Roy*, p. 20.

[21] Voir l'article de Ben-Z. Shek, *De quelques influences possibles sur la vision du monde de Gabrielle Roy.*

reléguées à l'arrière-plan. C'est le cas notamment dans les oeuvres inspirées par son enfance. Mais le drame des défavorisés comme Elsa dans *La rivière sans repos* atteste l'intérêt qu'elle continue de porter aux problèmes de la justice sociale. De même, réfléchissant sur le tard à ses années d'enseignement, elle revient à la détresse matérielle et morale des petits immigrants de la Prairie manitobaine. Et, si le plan esthétique reste sa préoccupation principale, sa critique des conditions sociales qui prévalaient alors n'est pas moins dure.

Ces enfants de ma vie est son témoignage de cette époque, réconcilié avec la poésie.

Chapitre 3

Le rôle féminin

– Si c'était à recommencer, te marierais-tu quand même?

– Certainement. Car je te regarde et me dis que rien n'est perdu, que tu feras à ma place et mieux que moi ce que j'aurais désiré accomplir.

Tout au long des jeunes années de Christine, le problème fondamental de son identité se pose. En même temps qu'elle découvre sa famille et son milieu social, elle cherche à se connaître elle-même. Et plus elle étend la sphère de ses connaissances, plus sa propre quête d'identité devient difficile. En cherchant à savoir qui elle est et qui elle deviendra, elle se mesure avec d'autres personnages féminins – et tout d'abord avec sa mère. Certains rôles se proposent alors à la jeune fille : devra-t-elle s'identifier à sa mère et devenir à son tour épouse et mère? Se faire religieuse comme sa soeur Odette ou l'amie d'enfance de maman? A-t-elle le talent d'écrire?

Vaudrait-il mieux devenir maîtresse d'école, que ce soit pour plaire à sa mère ou par vocation? Choix d'autant plus difficile qu'en découvrant ses propres goûts et ses talents, son besoin d'indépendance entre parfois en conflit avec son identité familiale et sociale.

Prise de conscience de la condition féminine

Sans vouloir attribuer à Gabrielle Roy un féminisme précoce qui lui serait étranger, l'on ne saurait non plus passer sous silence ses observations sur la condition féminine. En effet, dès ses premiers romans des années quarante et cinquante, l'auteure ne cesse de faire remarquer les difficultés particulières auxquelles se heurtent les femmes. Bien que cet aspect de son oeuvre ait été relevé, parmi les premiers critiques, par Monique Genuist[1], cela n'a guère attiré d'attention. À quelques exceptions près, on a fait peu de cas des préoccupations féminines de l'auteure, déplore Agnès Whitfield, dans un article récent[2]. Cette dernière fait remarquer que la critique littéraire souligne plutôt «les valeurs humanistes et

---

[1] «... elle ose aussi s'élever contre l'esclavage de la famille, aborder le problème de ces familles trop nombreuses. Très discrètement dans *Bonheur d'occasion*, où elle se contente de montrer que trop d'enfants dans une famille pauvre signifient la misère pour tous, de manière plus ouverte dans *La Petite Poule d'eau* : 'Les créatures n'étaient point faites pour satisfaire les passions sans frein des hommes, ni reproduire la race humaine sans arrêt et temps de repos'», *La création romanesque chez Gabrielle Roy*, Ottawa, Le Cercle du livre de France, 1966, pp. 139-140.

[2] *Relire Gabrielle Roy, écrivaine*, dans *Queen's Quarterly*, vol. 97, n° 1, 1990, pp. 53-56.

idéalistes de l'écrivaine, sa préoccupation avec la condition humaine sans différenciation sexuelle, et surtout, son admiration pour la maternité[3]». Et elle ajoute : «S'il y a un fil conducteur dans l'ensemble de la critique de son oeuvre, c'est bien cette insistance sur la résignation et le dévouement des personnages maternels...» À vrai dire, la critique continue à parler du «mythe maternel» de Gabrielle Roy, sans trop nuancer le portrait des mères ou s'attarder sur les personnages féminins autres que Christine[4].

N'empêche que plusieurs documents d'époque confirment à quel point Gabrielle Roy s'intéressait à la condition féminine. Parmi les nouvelles publiées dans le *Bulletin des Agriculteurs*, *Les petits pas de Caroline*[5] met clairement en relief cet intérêt. Il s'agit d'une écrivaine qui renonce aux idées conventionnelles sur les rôles et le caractère masculins et féminins pour devenir partisane de la libération de la femme :

---

[3] *art. cit.*, pp. 55-56.

[4] Voir, par exemple, l'article de Christiane Makward et Odile Cazenave, *The Others' Others : 'Francophone' Women and Writing* dans *Yale French Studies*, n° 75, 1989, pp. 190-207 :

> It is important to understand the effects of geographically determined attitudes on the emergence and treatment of literary women. The powerful figure of the mother in Franco-Canadian traditional society, for example, is reflected in its literature. For political and religious reasons, women in the New World were under obligation to procreate abundantly... The very harsh conditions under which this miracle took place, and the later stresses of the industrial age, demanded from these pioneer women survival skills which seemed only to strengthen their status in the culture.
>
> Such is the thrust of Gabrielle Roy's *Bonheur d'occasion* (1945)... The good fertile mother archetype, as well as the all-consuming domineering mother figure, have inspired countless narratives and dramatic texts... (pp. 108-109).

[5] octobre 1940, pp. 11, 45-49.

> On a trop longtemps répandu dans ce monde la légende qu'une femme ne peut se passer d'un homme pour ouvrir une porte, allumer sa cigarette ou nouer ses lacets de souliers. Moi, je suis venue ici pour prouver le contraire, et vous pensez que vous allez contrecarrer mes projets de réforme sociale...[6]

Non seulement cette écrivaine refuse la flatteuse galanterie des hommes mais elle renie aussi ses écrits antérieurs, publiés sous le pseudonyme de Caroline :

> Cette Caroline m'est fort suspecte. Elle a tracé des portraits d'hommes bons, discrets, courtois, des hommes comme on en voit plus; des femmes encore plus impossibles, des femmes résignées, je vous le demande, est-ce humain[7]?

De plus, l'interview de Gabrielle Roy avec Alice Parizeau en 1966 nous permet de faire état de sa préoccupation avec le statut socio-politique de la femme, en l'occurrence le droit de suffrage, accordé au Québec à la femme en 1940 :

> Pendant longtemps, les femmes furent les esclaves des temps modernes... La révolte de la jeune Canadienne est pleinement justifiée. Le fait que l'émancipation de la femme soit un phénomène très récent démontre, au fond, que notre société est encore très peu civilisée. Que l'attitude de l'Église à l'égard de la femme a été méprisante. Qu'une partie de la population a été forcée de dépendre de l'autre[8].

---

[6] *Ibid.*, p. 45.

[7] *Ibid.*, p. 49.

[8] Alice Parizeau, *Gabrielle Roy, la grande romancière canadienne*, p. 120.

Au cours de cette même interview, en réponse à la question «Qu'est-ce que le bonheur?» elle offre les propos suivants :

> Si j'avais un conseil à donner aux jeunes filles, je leur dirais qu'il faut tout d'abord réaliser sa vie et ensuite se marier. Il faut profiter de la liberté de choisir une carrière avant de créer une famille et non pas l'envisager après le mariage pour se prouver qu'on est libre[9].

De même, dans une de ses dernières interviews, elle dit avoir été une des premières à appuyer le mouvement de libération de la femme[10]. Il va sans dire que son autobiographie atteste le caractère libre et indépendant de l'auteure. Il importe donc, comme l'affirme Whitfield, de relire Gabrielle Roy à la lumière de notre sensibilisation récente à l'écriture féminine, tant sur la thématique du rôle féminin que sur ses procédés techniques.

La condition féminine dans la fiction

Pour Christine, ses observations sur la condition féminine sont liées à sa quête d'identité et d'indépendance. À la recherche de son propre moi et préoccupée par l'épanouissement de ses talents particuliers,

[9] *Ibid.*

[10] «... tout en étant fermement convaincue du caractère excessif et extrémiste de la littérature féministe québécoise, Gabrielle Roy insiste sur le fait qu'elle était non seulement en faveur de la libération de la femme, mais qu'elle avait été une des premières à appuyer un tel mouvement.» Paula Gilbert Lewis, *La dernière des grandes conteuses : une conversation avec Gabrielle Roy*, dans *Études littéraires*, vol. 17, n° 3, hiver 1984, p. 567.

elle ne manquera pas d'observer, à l'instar de Gabrielle Roy, bien des aspects de la condition des femmes. Dans les trois oeuvres du cycle, elle constatera d'abord la situation des femmes de sa famille; en grandissant, elle remarquera aussi les rôles de la femme dans la société en général; devenue institutrice, elle aura l'occasion d'exercer une profession qui la mettra en contact avec les mères de ses élèves, ce qui lui permettra de comparer les différents rôles féminins. Et avant de faire son choix définitif de carrière elle sera amenée à réfléchir sur ses valeurs personnelles de femme par comparaison à celles de la société.

Amour, mariage, maternité : les impressions de la jeune Christine à ces égards sont enregistrées dans les nouvelles de *Rue Deschambault* comme autant d'images fugitives. Prises dans l'ensemble, elles mettent en évidence une perspective bien négative de la thématique. L'amour et le mariage de sa grande soeur Georgianna se heurtent à la résistance de leurs parents, puisqu'elle s'entête à épouser un homme qu'ils considèrent sans valeur. Aux dires de sa mère, la plus belle couronne d'une femme est d'être aimée (*RD* p. 216), mais à quoi cela sert-il à l'Italienne bien-aimée quand son mari Giuseppe Sariano meurt? Il est vrai que la résignation et le dévouement maternels se voient dans le portrait de Thérésina Veilleux – mais on est en droit de se demander s'il s'agit de qualités admirables. Bien que cette dernière soit trop malade pour soigner elle-même ses enfants, elle passe tout son temps à les mettre au monde. Sans doute Thérésina Veilleux est-elle l'image même de la *Mater dolorosa*[11] résignée, bonne catholique, qui accepte les enfants que Dieu lui envoie. Mais elle n'est pas présentée comme heureuse, encore moins comme comblée.

Cette suite d'images de la condition féminine, présentée par Christine de façon ingénue, est d'apparence inoffensive. Mais le discours qui sous-tend ces observations est en réalité une remise en question subversive de la thématique traditionnelle, qui veut que l'amour et le mariage fassent le bonheur de la femme. D'ailleurs, en dépit du caractère apparemment traditionnel de la mère de Christine, cette dernière ne manque pas de faire une leçon féministe ouverte à son fils. Elle déplore le manque d'égalité entre hommes et femmes : «Les belles vertus», dit-elle à son fils, «la loyauté, la franchise, la droiture, l'admirable simplicité, vous les revendiquez pour vous alors que vous prisez les femmes pour leurs détours, leurs caprices» (*RD* p. 239). Ayant surpris l'opinion de sa mère, Christine n'est plus attirée par le rayon des cosmétiques ou de la bijouterie. Le collier «qui avait le poids et faisait le bruit d'une chaîne» (*RD* p. 235) et les bracelets «lourds comme des menottes» (*RD* p. 236) sont signes du prisonnier ou de l'esclave.

---

[11] Expression que H. I. McPherson applique à Rose-Anna de *Bonheur d'occasion* dans sa préface à la traduction anglaise de l'oeuvre. L'expression est citée par M. Gaulin, *Le roman canadien-français*, *Archives des lettres canadiennes*, III, 1963, 2e édition, Montréal, Fides, 1971, p. 149.

Quant au fard et au rouge à lèvres, ils font penser aux sauvages. Souhaitant comme sa mère «l'égalité sur terre» (*RD* p. 215), Christine refuse les caprices et les détours qui font de la femme l'esclave de l'homme.

De telles allusions permettent une lecture du caractère de sa soeur Odette en termes féministes : «elle devait plus tard se faire religieuse; elle détestait les hommes et elle avait, avant de renoncer au monde et à elle-même, l'âme révolutionnaire» (*RD* p. 26). Mais il s'en faut de beaucoup que la vie religieuse soit montrée comme solution au dilemme féminin. Quand Odette s'efface du cercle familial pour entrer dans les ordres, elle doit renoncer au monde, à sa jeunesse et à sa liberté, comme dit sa mère. Et presque toutes les autres images de la vie religieuse accusent le même renoncement aux bonheurs de la vie. Les occupations pieuses de ses trois cousines (ravauder le linge, tricoter des bas noirs ou lire la vie des saints) semblent tellement ennuyeuses à Christine qu'elle s'échappe de leur compagnie pour passer son temps auprès d'un vieux couple inconnu. Et que penser de la soeur Supérieure qui refuse d'accepter Alicia et Agnès en pension si on ne leur coupe pas leurs longues tresses? Ou encore de la soeur Étienne-du-Sauveur, amie d'enfance de maman, qui n'a pas eu de visite depuis quatre ans? Point n'est besoin d'ajouter que la sévère madame Nault, dont Christine fait la connaissance à Montréal, est nièce et soeur d'archevêque! Mais au contraire de ces femmes,

Christine est assoiffée de la vie et peu disposée à renoncer même à un bout de ruban jaune. Renoncer aux bonheurs de ce monde, cela constituerait pour elle une bien triste perfection.

La mère au service de la famille

À côté de ces reflets fugitifs, bien que marquants, de la condition féminine, un petit nombre d'images plus développées se proposent à Christine. Certes, le portrait le mieux dessiné de *Rue Deschambault* est celui de sa mère; c'est aussi l'image féminine la plus complexe du cycle. Cette complexité est surtout évidente dans les nouvelles de *La route d'Altamont*, où diverses images d'Éveline sont projetées. En tant que mère de Christine, elle partage souvent la scène avec cette dernière. Mais dans *Ma grand-mère toute-puissante,* elle est en même temps mère et fille, car elle joue auprès de sa propre mère le rôle de fille adulte. Femme entre deux âges, mais encore pleine d'énergie et de santé, elle est responsable à la fois de sa mère et de ses enfants. Cependant, le fil du temps qui conduit Christine à l'âge adulte dans *La route d'Altamont* mène Éveline parallèlement au déclin de la vie. Finalement, les récits de *Ces enfants de ma vie* nous livrent quelques derniers aperçus d'Éveline, «vieille mère» affaiblie par l'âge, dépendante de sa fille.

Cette femme dévouée, qui s'inspire largement de la mère de Gabrielle Roy[12], partage également les

---

[12] Voir Michel Gaulin : «Cette prédilection de la romancière pour les

traits de Rose-Anna (*BO*) et de Luzina (*PPE*). C'est une femme forte, «une sorte de déesse», selon Michel Gaulin : «Si elle souffre de sa condition sociale et si elle est asservie à sa famille, elle est aussi capable de grande féminité et d'enjouement... Elle trouve toute sa noblesse dans la maternité et elle joue dans sa famille le rôle de conciliatrice, tentant d'être présente à la fois à son époux et à ses enfants»[13].

Éveline a donc renoncé à ses propres aspirations pour assumer les responsabilités d'épouse et mère; elle a refoulé certains traits de son caractère pour offrir à ses enfants le climat de sécurité nécessaire à leur épanouissement. C'est pourquoi «maman» ou «ma mère» ne redeviendra «Éveline», ni ne retrouvera son identité personnelle qu'avec le départ de sa dernière-née dans le récit-titre de *La route d'Altamont*. Dans la plupart des nouvelles de *Rue Deschambault* et de *La route d'Altamont*, elle est représentée comme la mère sacrifiée. Debout dès l'aube, elle va à la première messe même par les grands froids et elle mène une activité si débordante toute la journée qu'elle tombe de fatigue le soir et monte se coucher «à l'heure des poules». De surcroît, elle est tellement pauvre qu'elle doit prendre un Noir comme pensionnaire (*Les deux nègres*). C'est la mère-type

---

personnages féminins ne doit aucunement surprendre quand on sait la grande admiration qu'elle voue au souvenir de sa mère. Il apparaît donc tout naturel que dans ces personnages féminins, Gabrielle Roy ait tenté de faire revivre la tendresse, sinon les traits, de cette femme qui lui a beaucoup appris sur la vie». *Le roman canadien-français*, p. 148.

[13] *Ibid*, p. 149.

canadienne-française, la mère mythique qui se sacrifie à sa famille nombreuse et à son devoir religieux de «peupler le désert». Véritable captive de sa famille, Éveline doit partir en Saskatchewan à la demande de son mari quand leur fille menace de faire un mauvais mariage, mais jamais elle n'obtiendra de lui un permis gratuit pour le voyage d'agrément qu'elle rêve d'entreprendre au Québec.

La révolte maternelle

Justement, une certaine disposition pour la liberté depuis longtemps étouffée provoque chez Éveline un mouvement de révolte contre le renoncement aux aspirations personnelles inhérentes à sa situation d'épouse et mère. Le voyage qui en résulte dans *Les déserteuses* deviendra une double quête d'identité. Pour Éveline, il est question de réaffirmer la soif d'aventures qu'elle a toujours proclamée et de renouer avec son enfance au Québec. Cette occasion permettra aussi à Christine d'observer sa mère de près, de voir la réalité féminine en dehors de sa famille et d'apercevoir ses propres perspectives d'avenir.

Il faut reconnaître à ce stade que toute tentative de libération de la part de la mère présente une grave menace sur le plan de la sécurité familiale[14]. D'où la

---

[14] Nous nous inspirons ici de l'excellente analyse de la nouvelle faite par Gabrielle Pascal dans *La condition féminine dans l'oeuvre de Gabrielle Roy* dans *Voix et images*, vol. 5, n° 1, automne 1979, pp. 143-163. Voir aussi de la même auteure *La femme dans l'oeuvre de Gabrielle Roy* dans *Revue de l'Université d'Ottawa*, vol. 50, n°1, janvier-mars 1980, pp. 55-61.

réaction instinctive et violente du père, qui traite sa femme de «trotteuse, de vagabonde, d'instable» (*RD* p. 106), chaque fois qu'elle lui parle de son désir de voyager. À vrai dire, son départ constituerait un acte subversif; mais consciente de l'obéissance qu'elle doit à son mari, Éveline ne lui tiendra pas tête ouvertement. Elle sait les mécanismes du pouvoir social et familial, et, faute d'égalité, elle se servira de l'arme conventionnelle de la manipulation :

> Elle devint pleine de gentillesse.
>
> – Viens manger, Édouard, dit-elle; je t'ai fait une bonne soupe au chou.
>
> Ce jour-là, il y eut sur la table tous les mets préférés de papa. Ensuite, quand maman vit papa rasséréné, elle l'aborda de côté :
>
> – Tu penses bien, Édouard, que je ne te demanderais jamais d'argent pour faire un voyage... toi qui es si économe, qui travailles si dur!... Mais si tu m'obtenais un billet gratuit... (*RD* p. 107).

Toujours est-il qu'à cette occasion sa politique de gentillesse et de flatterie ne réussit pas mieux qu'une demande directe, tant sa libération risquerait de perturber la dynamique familiale. Il est significatif que la première réaction de Christine est de ne pas vouloir admettre non plus que sa mère puisse avoir des aspirations personnelles en dehors de son mari, sa maison et ses enfants; elle en vient même à souhaiter que sa mère et tous ceux qu'elle aime soient heureux dans leur captivité. Mais dès le moment où maman l'associe à son projet, elle pourra céder à son propre goût du voyage et de l'aventure.

L'on ne peut nier que même la libération temporaire comporte pour une femme comme Éveline différents problèmes tant d'ordre psychologique que dans le domaine pratique. Car une fois qu'elle aura fait elle-même les costumes de voyage, gagné le prix des billets en faisant d'autres travaux de couture, envoyé trois enfants en pension et composé une lettre d'explication à l'intention de son mari, elle devra en plus se justifier à ses propres yeux. Or, la fidélité à son être profond qui vient de réclamer la libération exige simultanément le refoulement du rôle maternel devenu partie dominante de son comportement quotidien. Ce refoulement est la source intérieure d'un sentiment de culpabilité. Et l'on constate la nature paradoxale de cette captivité du rôle féminin qu'elle avait accepté et dont depuis longtemps elle tirait ses plus douces satisfactions. Et Christine de s'écrier, tant le paradoxe est frappant, «Pour une femme qui tenait à la liberté, que de chaînes elle s'était faites!» (*RD* p. 109).

La captivité et la liberté

Les deux postulations de la liberté et de la captivité forment dès lors une dialectique qui colore le voyage entier. Celui-ci est un véritable pèlerinage spatial et temporel au cours duquel Éveline remonte jusqu'à sa lointaine enfance dans la province du Québec. Mère et fille rendent visite à des parents, renouent relations avec la famille du père et retrouvent l'amie d'enfance d'Éveline. Mais Christine ne manquera pas de constater que la liberté du voyage qui rajeunit incontestablement sa mère est perçue par la société d'une façon négative. En fait, la désapprobation sociale pèse sur Éveline au point d'ajouter à son sentiment de culpabilité. C'est ainsi qu'elle est amenée à se déculpabiliser en cherchant à plusieurs reprises l'approbation des autorités spirituelles[15].

Maints aspects de la vie de la femme sont d'ailleurs réglés par les autorités spirituelles et sociales et Gabrielle Roy n'hésite pas à en souligner les conséquences négatives. Madame Nault et ses filles ne quittent pour ainsi dire jamais le noir, à cause des décès successifs dans la famille. Raide et correcte, cette nièce et soeur d'archevêque fait tout par devoir ou par souci des apparences («il ne serait pas dit que...») et rien par plaisir. Les trois soeurs de papa sont des vieilles filles habillées pudiquement de longues jupes, de bas noirs et de cols montants très serrés au cou. Dans leur petite pièce sombre, à plafond bas, elles semblent mener une vie très étroite. Quant à Odile Constant, devenue Soeur Étienne-du-Sauveur, portant crucifix et cornette, elle a renoncé à tout. Répétons que la visite inattendue de son amie d'enfance est la première qu'elle reçoit depuis quatre ans.

---

[15] Voir Gabrielle Pascal, *La condition féminine dans l'oeuvre de Gabrielle Roy*, pp. 146-147. Pour cette dernière, le sentiment de culpabilité d'Éveline proviendrait du conflit intérieur né de son geste de libération. Toutefois, il faut ajouter que les attitudes de la société, incarnées en divers personnages (le père, le cocher, la compagne de voyage, etc.) constituent autant de sources extérieures de son sentiment de culpabilité.

Tous ces signes extérieurs des contraintes imposées au corps féminin et des limites de leur vie marquent la condition de la femme. L'obligation de porter le deuil, de couvrir le corps de la tête aux pieds ou de porter l'habit de son ordre – tout ceci témoigne de la sujétion de la femme aux autorités, sert à nier sa réalité physique et sa féminité, et subordonne son identité à celle du groupe familial, social ou religieux auquel elle appartient. Qu'il s'agisse du mépris du corps féminin de la part de l'homme ou de sa propre honte, la femme découvre que «l'ascèse et la pudeur sont les formes particulières de sublimation que la société exige de la femme[16]».

De plus en plus sensibilisée à la condition féminine, Christine s'indigne contre l'inégalité qui règne dans la société entre les deux sexes. Elle se souvient d'avoir vu «combien une femme qui se réclame d'un mari est mieux vue dans la société qu'une femme toute seule» (*RD* p. 118). Et elle en tire la conclusion : «Cela me parut injuste; je n'avais jamais remarqué qu'un homme eût besoin de parler de sa femme pour avoir l'air important». Ainsi celle-ci est-elle lésée tout d'abord au niveau de son identité. Mais le prix de la dépendance conjugale n'est rien pour elle à côté du prix de l'indépendance. À peine une femme seule a-t-elle le droit de descendre à l'hôtel si elle tient à sa réputation; voyageant seule elle se compromet, elle s'expose aux propositions

---

[16] Anne Brown, *La haine de soi – le cas du roman féminin québécois*, dans *Studies in Canadian Literature*, vol. 14, n° 1, 1989, p. 110.

déshonnêtes d'un homme comme le cocher qui conduit Christine et sa mère au village des soeurs du père. Bref, une femme seule, soit-elle la mère et l'épouse la plus dévouée du monde, ne semble jouir d'aucun statut social. Elle est si peu prisée par la société qu'elle est vulnérable. Rien d'étonnant que maman mette Christine en garde contre les hommes en lui conseillant de «garder sa distance» (*RD* p. 121).

Cette méfiance à l'égard du sexe fort, toute femme se doit de l'apprendre dès sa tendre jeunesse, afin de répondre aux exigences sociales. Par exemple, quand Christine dit à ses parents que leur voisin, Giuseppe Sariano, l'a embrassée, son aveu suscite un discours déconcerté. «Alors maman m'a parlé un peu des hommes, se souvient Christine; elle m'a dit que les petites filles ne devaient pas se laisser embrasser par eux» (*RD* p. 213). Ses parents conseillent à Christine de bien se tenir «sur ses gardes». Pareille réaction de suspicion explique peut-être aussi les réticences de maman quand monsieur Saint-Hilaire veut emmener Christine au lac.

Briser le cycle : l'exemple de grand-mère

Tristes découvertes de la part de Christine que ces signes de la condition féminine! D'une part, abnégation religieuse ou sacrifice maternel, d'autre part, indépendance et liberté de la femme au prix de la désapprobation sociale. Cependant, un deuxième personnage propose à Christine une image féminine d'autant plus marquante qu'elle est inattendue. Il s'agit de sa grand-mère. Quoique le personnage de «mémère» soit moins développé que celui de maman, il est important dans la mesure où il permet d'entrevoir la continuité du rôle maternel à travers les générations. Par là même, le portrait de grand-mère établi dans le premier récit de *La route d'Altamont* ajoute au témoignage de maman la validation du passé, tout en projetant une image d'avenir qui semblerait comme fixée à l'avance par le destin. À vrai dire, on dirait qu'un cycle s'établit de mère en fille, se renouvelant dans un ordre immuable à travers les générations[17].

Bien que ce texte de Gabrielle Roy ait paru avant l'avènement du féminisme moderne, un passage de Luce Irigaray semble particulièrement pertinent à la recherche de l'identité féminine que Christine entreprend auprès de sa grand-mère :

> Je pense qu'il est nécessaire aussi, pour ne pas être complice du meurtre de la mère, que nous affirmions qu'il existe une généalogie de femmes. Généalogie de famille : après tout, nous avons une mère, une grand-mère, une arrière-grand-mère, des filles. Cette généalogie de femmes... nous l'oublions un peu trop; voire nous sommes amenées à

[17] Cp. L. Bernikow, *Among Women* (1980), New York, Harper Colophon, 1981, p. 60 : «From generation to generation the idea of heritage appears and reappears as a hall of mirrors, daughter reflecting mother, mother reflecting grandmother». Pour les rapports de Christine avec sa mère et sa grand-mère dans *La route d'Altamont*, voir mon article *La relation mère-fille dans* La route d'Altamont, dans *Revue canadienne des langues vivantes*, vol. 46, n° 2, janvier 1990, pp. 304-311, dont certaines parties du présent chapitre sont tirées.

la renier. Essayons de nous situer pour conquérir et garder notre identité dans cette généalogie féminine[18].

Au premier abord, la grand-mère de Christine offre à la fillette une image plutôt terrifiante de «grande vieille», tant elle est passionnée d'ordre, de propreté et de discipline. Mais la fillette apprend bientôt que sa grand-mère si redoutable serait plutôt à plaindre. Après une vie débordante d'activité, passée à élever ses nombreux enfants, «mémère» est presque abandonnée par sa famille. Elle voit si peu souvent ses petits-enfants qu'elle arrive à peine à les distinguer les uns des autres. Si une automobile s'arrête parfois devant sa porte, les jeunes gens qui en descendent n'ont guère le temps de saluer grand-mère avant de repartir à toute vitesse. Prise autrefois par son rôle maternel, grand-mère n'avait même pas une minute à elle, mais à présent elle a un siècle. À cette période de sa vie où sa vue est affaiblie, son ouïe défectueuse et sa mémoire défaillante, elle vit seule dans sa petite maison isolée tout au bout du village. Pauvres consolations d'une vie consacrée à sa famille!

Cette image négative du rôle maternel permet donc en premier lieu de mesurer le sacrifice de soi fait par les femmes, et le peu de crédit dont elles jouissent même dans leur propre famille. Pourtant, aussi inattendu que cela paraisse, grand-mère reste

---

[18] Luce Irigaray, *Le corps à corps avec la mère*, Montréal, La pleine lune, 1981, pp. 29-30.

capable de créativité; et en fabriquant pour Christine une «catin», elle initie cette dernière au miracle de l'oeuvre créatrice[19]. En effet, grand-mère et Christine mettent en jeu toutes les ressources de leur imagination pour créer la poupée à partir d'éléments anciens et modernes, le rouge à lèvres servant à dessiner la bouche sur un visage fait d'une vieille retaille. Et à mesure qu'elles collaborent par-dessus les générations à faire la poupée – l'énergie de Christine jointe au talent de mémère – la petite fille se rend compte de la joie que l'acte créateur peut procurer. Il suffit à faire oublier à grand-mère son strict horaire et sa solitude; quant à Christine, aussi longtemps qu'elle participe à la fabrication de la poupée, il n'est plus question de s'ennuyer. Le talent créateur de mémère est une véritable révélation pour la petite fille émerveillée, au point où elle s'écrie : «Tu es Dieu le Père. Tu es Dieu le Père. Toi aussi tu sais faire tout de rien» (*RdA* p. 28).

La création artistique – cette activité quasi-divine dont mémère se montre capable – exerce sur Christine un attrait puissant. La critique Paula Gilbert Lewis affirme :

> Dans ce miroir de la grand-mère-Dieu, la petite fille peut voir, donc, le reflet d'une déesse humaine qui est à la fois sage et protectrice. C'est l'image

---

[19] Cp. le portrait que Gabrielle Roy trace de sa propre grand-mère dans *Mon héritage du Manitoba* et que nous avons cité dans le chapitre 1.

[20] *Trois générations de femme : le reflet mère-fille dans quelques nouvelles de Gabrielle Roy*, dans *Voix et images*, vol. 10, n° 3, printemps 1985, pp. 165-176.

positive de la femme puissante et maternelle, qui revalorisera chez Christine l'image de la femme créatrice[20].

Christine retiendra cette image de sa grand-mère toute-puissante et, devançant certaines idées des années soixante-dix, elle se fera même une conception d'un Dieu au féminin : «Longtemps il me resta dans l'idée que ce ne pouvait être un homme sûrement qui eût fait le monde. Mais, peut-être, une vieille femme aux mains extrêmement habiles» (*RdA* p. 31).

Toujours est-il que grand-mère elle-même, qui n'a guère eu le temps de se consacrer au travail créateur, insiste davantage sur le travail quotidien : «...une maison, une famille, c'est tant d'ouvrage que si on le voyait une bonne fois en un tas, on se sentirait comme devant une haute montagne... une montagne de 'barda'...» (*RdA* p. 28). Faudrait-il donc choisir entre la «montagne secrète» de la création artistique et la montagne de 'barda' qui dévore le temps et le talent de la femme[21]? Le rôle traditionnel de la femme-mère serait-il inconciliable avec l'épanouissement de l'artiste? En se définissant comme mère et épouse, grand-mère n'aurait-elle pas été tenue en servitude autant que maman?

Justement, le côté négatif du rôle maternel est renforcé de nouveau dans *Le vieillard et l'enfant*. Signe de captivité, ce rôle est perçu par Christine non

[21] *La montagne secrète* (1961) est le roman de Gabrielle Roy qui traite de la création artistique.

seulement comme ennemi de l'activité créatrice mais aussi comme hostile à la liberté personnelle. Avide d'accompagner le vieux monsieur Saint-Hilaire pour la journée, Christine partira à la découverte du lac Winnipeg alors que maman restera à la maison, prisonnière de son rôle maternel. La petite fille en arrive à avoir pitié de sa mère, marquée autant qu'elle-même par la soif d'aventures mais impuissante à se libérer de la servitude de la maison. «Ma pauvre mère!» s'écrie Christine :

> Avais-je seulement jusqu'alors pensé qu'elle non plus n'avait jamais vu le lac Winnipeg, pas si éloigné pourtant de notre ville; mais, asservie à nos besoins, quand, comment aurait-elle pu vivre un jour au moins selon les désirs toujours avides de son âme... (*RdA* p. 94).

En effet, Éveline est parvenue à la sublimation de ses propres impulsions, détournées au profit de ses enfants; elle est devenue plus souvent attentive à leurs désirs qu'aux siens. Vivant dans l'ombre, refoulant son propre goût de liberté, elle se contente de voir Christine réaliser ses rêves de voyage. Sa modeste aventure que constitue le voyage au Québec (*Les déserteuses*) est sans lendemain. Cette expérience de la liberté l'a laissée intacte, prête à réintégrer le rôle que la société attend d'elle. Elle incarne ainsi le dévouement des mères qui trouvent leurs plus grandes joies en se sacrifiant à leur famille et à leur foyer. Mais l'exemple de sa mère sert à mettre Christine en garde. Si elle tient à passer du voyage imaginaire au voyage réel, du rêve à la réalité, elle devra échapper à cette condition féminine de la résignation, ayant compris «qu'il ne suffit pas d'avoir la passion de partir pour partir; qu'avec cette passion au coeur on peut quand même rester prisonnier toute sa vie dans une petite rue» (*RdA* p. 148). Quant à maman, la transformation de l'instinct de liberté est tellement profonde qu'elle n'en souffre guère. Il lui arrive même de plaindre ceux qui sont en voyage, «à la dérive au fil de la vie» (*RdA* p. 157).

Le reflet mère-fille

Les rapports entre mère et fille constituent à vrai dire un aspect important de *La route d'Altamont* et des dernières nouvelles de *Rue Deschambault*. La jeune fille est selon toute évidence très attachée à sa mère; mais pour poursuivre sa quête d'identité, elle devra s'affirmer de plus en plus en choisissant son propre chemin dans la vie. Et quand à onze ans Christine se voit refuser la permission d'accompagner le déménageur pour la journée, elle fait fi de l'autorité maternelle, sachant que «si l'on doit obéissance à nos parents, on la doit peut-être aussi à certains de nos désirs les plus étranges, trop vastes et lancinants» (*RdA* p. 165). Paradoxalement, cette quête de sa propre identité s'avère en même temps une découverte de son identité familiale. Bien que Christine fasse une déclaration de son indépendance en partant sans la permission de sa mère, celle-ci s'exclame à son retour : «Toi aussi tu aurais cette maladie de famille, ce mal du départ. Quelle fatalité!» (*RdA* p. 185), soulignant l'identité familiale de sa fille plutôt que son identité individuelle.

C'est donc quelquefois au cours des efforts que Christine fait pour mieux se connaître qu'elle retrouve le reflet de sa mère – découverte à la fois rassurante et inquiétante. Certes, Christine est rassurée par l'identité familière et sécurisante de sa mère. Mais ses inquiétudes émanent de la nécessité de s'établir en tant que jeune femme indépendante de sa mère[22]. Or, Christine s'identifie à sa mère par son «mal du départ», par leur goût commun du voyage et de l'aventure. Toutefois, asservie aux besoins de sa famille, Éveline a dû refouler son côté aventureux au bénéfice de son rôle maternel. Et Christine a eu l'occasion de remarquer que ce rôle est peu apprécié par la société. C'est pourquoi elle voudrait être différente de sa mère et que, malgré la sécurité et la stabilité offertes par sa mère, elle voudrait se faire une vie conforme à ses propres valeurs.

«Vient-il toujours une mauvaise époque entre une mère et sa fille?» se demande-t-elle (*RD* p. 229), fâchée parce que ses premières amours avec Wilhelm l'opposent à sa mère. Puisque maman n'accepte pas cet étranger bien plus âgé que sa fille, qui est encore collégienne, elle fait tout son possible pour rompre les relations entre les deux jeunes gens. D'autre part, dans *Les bijoux*, les observations que fait sa mère sur

---

[22] Il s'agit des deux étapes indispensables au développement de la personnalité, symbiose et séparation, que nous avons identifiées plus haut, p. 60.

l'inégalité entre l'homme et la femme ne manquent pas d'impressionner l'adolescente. C'est pourquoi Christine rejette l'image de la femme toute fardée, superficielle et frivole, que symbolise le faux brillant des bijoux. Elle s'identifie plutôt à sa mère en souhaitant «l'égalité sur terre» (*RD* p. 240) et en refusant de devenir l'enfant ou l'esclave des hommes.

Au fur et à mesure qu'elle devient adulte, Christine est ainsi appelée tantôt à accepter, tantôt à refuser les valeurs de sa mère. Mais si l'influence maternelle s'exerce souvent dans le domaine moral, son plus grand rôle c'est de sensibiliser sa fille à la condition féminine. Par son exemple, elle apprend à Christine que la femme se consacre à sa famille au détriment de sa propre personne; avec ses propos perspicaces, elle lui fait comprendre que l'inégalité et l'injustice qui pèsent sur la femme contribuent à son triste état.

L'activité créatrice

Il n'y a pas lieu de s'étonner que de telles images négatives rehaussent par contrecoup la valeur de l'activité créatrice. Celle-ci semblerait constituer aux yeux de Christine le seul signe positif de la condition féminine. À l'image de la femme asservie à son devoir maternel, faisant le sacrifice de sa personne, se substitue à l'occasion celle de la femme qui exerce son talent créateur. Ce «don de famille» hérité de grand-mère prend la forme chez Éveline de l'art de conter, don si admirablement exploité à la fin de la nouvelle *Les déserteuses* pour détourner la colère du père[23]. En effet, à mesure que maman raconte son voyage, son mari et ses enfants qui s'étaient sentis abandonnés, se rapprochent, ensorcelés par le récit magique de ce pèlerinage dans le passé. Christine assiste alors à la transfiguration de sa mère en conteuse et, plus étonnant encore, au renversement de la situation. Cette évocation lyrique des paysages et des personnes de la vieille province du Québec, mettra alors en cause l'oubli commis au cours des années par le père, plutôt que la culpabilité des «déserteuses».

Quelques rares que soient les voyages réels d'Éveline, empêchée en tant que femme-mère de donner libre cours à son goût de liberté, elle sait donc par la magie du verbe les recréer pour elle-même et pour autrui. La sublimation de son âme voyageuse résulte dans des récits enveloppés du mystère de l'inconnu, à résonances mythiques. Et Christine elle-même a maintes fois écouté avec ravissement le récit du long voyage vers l'Ouest qu'Éveline avait entrepris avec sa famille en chariot ouvert, à travers la

---

[23] Nous nous inspirons de nouveau de l'analyse de cette nouvelle faite par Gabrielle Pascal dans *La condition féminine dans l'oeuvre de Gabrielle Roy*, p. 147. Par ailleurs, le sujet sera repris dans la longue nouvelle *De quoi t'ennuies-tu, Éveline?* où il s'agit du dernier voyage d'Éveline, entrepris pour se rendre auprès de son frère Majorique en Californie. Au cours de son périple en autobus, Éveline fait valoir son talent de conteuse pour s'attacher ses compagnons de voyage. *DQE* est le dernier texte publié par Roy de son vivant, en 1982, mais il est composé dès 1960 (c'est-à-dire entre *RD* et *RdA*). Toutefois, cette nouvelle diffère des textes du cycle manitobain puisque Christine est absente au niveau événementiel.

vaste plaine, quand elle était enfant. Elle a subi l'attrait de ce récit fabuleux du départ vers la terre promise, au point de vouloir vivre elle-même cette expérience d'un monde neuf, beau et pur évoqué par sa mère (*RdA* pp. 162-166).

La femme-mère subjuguée, transformée par l'activité créatrice en puissante femme-conteuse : voilà une image séduisante, apte à exercer sur la jeune fille une fascination irrésistible. Pour rompre le cycle inexorable de la condition féminine reflétée par grand-mère et mère, la créativité constituerait un moyen bien plus satisfaisant que cette autre échappatoire qu'est la vie religieuse. Alors que celle-ci n'offre que des images de renoncement au bonheur, l'activité créatrice semblerait procurer à soi et aux autres de grandes joies. Dès lors la transformation des êtres et du monde par l'intermédiaire de l'imagination et du discours devient le but de Christine. À l'instar de mémère, «aux mains extrêmement habiles» (*RdA* p. 31), et de maman avec sa verve de conteuse, Christine compte mettre en valeur ses propres talents pour échapper à cette vie féminine tout en abnégation et sacrifice.

L'affirmation progressive de la création artistique comme solution au drame féminin est probablement à l'origine de la décision de devenir écrivaine que Christine confie à sa mère dans *La voix des étangs*. Selon l'adolescente, l'idée d'écrire lui serait venue à l'esprit

> ... comme un amour soudain, qui, d'un coup,

> enchaîne un coeur... j'avais été l'enfant qui lit en cachette de tous et à présent je voulais être moi-même ce livre chéri, cette vie des pages entre les mains d'un être anonyme (*RD* p. 244).

Mais elle reconnaît aussi qu'elle doit à sa mère de lui avoir appris la puissance évocatrice de l'imagination et la magie du verbe : «Elle m'avait enseigné le pouvoir des images, la merveille d'une chose révélée par un mot juste et tout l'amour que peut contenir une simple et belle phrase» (*RD* p. 246).

Christine face à la réalité

Pourquoi alors se rend-elle sans difficulté aux arguments de sa mère qui, invoquant la nécessité de gagner sa vie, lui propose de devenir plutôt institutrice? Voudrait-elle continuer à se laisser guider par sa mère? Aurait-elle compris que pour écrire il faut avoir une certaine expérience de la vie? Ou ignorant encore comment s'y prendre, préfère-t-elle suivre le chemin tout tracé qui mène à une situation reconnue?

Justement, cette profession ne manque pas d'attrait pour Christine. Respectée dans son milieu, l'institutrice jouit d'une certaine autorité en plus de la liberté personnelle et de l'indépendance financière. Autant le rôle maternel est défavorisé, autant la profession d'institutrice est valorisée par le prestige qui se rattache au domaine de l'intellect. À l'opposé de la femme-mère, l'enseignante est maîtresse de sa propre vie. Or, aucune image négative d'institutrice n'est venue colorer cette suggestion de sa mère; tout au plus reconnaît-on la sublimation maternelle implicite dans les réflexions de Christine : «Maman avait voulu faire de toutes ses filles des maîtresses d'école – peut-être parce qu'elle portait en elle-même, parmi tant de rêves sacrifiés, cette vocation manquée» (*RD* p. 283)[24].

Les nouvelles de *Ces enfants de ma vie* ne font que confirmer le choix de carrière dans la mesure où elles opposent aux tristes images de mères sacrifiées le portrait lumineux de Christine institutrice. Car bien que Gabrielle Roy mette des enfants au premier plan de ses récits, il est permis de croire qu'elle entreprend simultanément une analyse détaillée, sous divers éclairages, de la condition féminine. Plus que dans *Rue Deschambault* ou *La route d'Altamont*, elle peint une fresque de la société qui met en évidence les multiples facettes de la misère féminine. Ainsi la trame textuelle de presque toutes les nouvelles incorpore-t-elle des femmes qui ont à divers degrés perdu contrôle de leur propre vie. Au mieux, il s'agit de femmes ennuyées qui passent leur temps, comme la logeuse de Christine, à tirer les cartes ou à épier les passants. De telles femmes font penser à la jeune Thérésina Veilleux de *Rue Deschambault* qui, empêchée par sa santé fragile de fréquenter l'école, devait se contenter de lire des almanachs populaires et des feuilletons, seules lectures à circuler à la campagne. Cependant la plupart des femmes, loin de s'ennuyer,

[24] Cette compensaiton est également évidente dans l'attitude de maman «devenue extrêmement attentive à obtenir pour nous du moins ce qu'elle n'avait pas possédé de ce monde» (*RdA* p. 95).

sont écrasées de travail, en proie à des conditions de vie déplorables. Que ce soit la classe ouvrière en ville, composée en grande partie d'immigrants pauvres, ou la société rurale dépeinte dans les deux derniers récits, la condition de la femme est pitoyable. Au moyen d'images successives, Gabrielle Roy reprend son thème fragmenté mais insistant de la misère féminine. Il est possible aussi de relever la trace d'un réquisitoire contre la répression et la domination d'une société patriarcale. Et dans *La maison gardée* le discours romanesque entier devient un plaidoyer passionné pour les femmes.

Certaines des esquisses de femmes reflètent les privations imposées par les conditions économiques de l'époque. C'est le cas de madame Pasquier; bien qu'elle soit alitée plusieurs mois de sa grossesse, elle est obligée de se passer de l'appui de son mari, parti travailler en forêt, tant leur situation financière est précaire. On pense aussi à la mère de Clair, femme raffinée, abandonnée par son mari et réduite à gagner sa vie et celle de son fils comme femme de ménage. Leur existence est d'une pauvreté d'autant plus écrasante que la mère d'André, qui voudrait que son fils s'instruise, est obligée de le garder à la maison et que la mère de Clair n'a guère le temps d'élever convenablement le fils qu'elle voudrait poli et obéissant. Cette contradiction profondément ressentie accentue, à travers le temps et l'espace, une préoccupation encore actuelle avec la femme condamnée à une situation économique de dépendance ou d'infériorité, aggravant sa situation sociale. D'ailleurs, en tant que femme et Indienne, Maria Eymard est traitée comme doublement inférieure. Malgré tous ses efforts pour reprendre son fils, Médéric est confié à la charge de son père[25]. Seule l'image éclatante de Paraskovia Galaïda rachète ce tableau, car grâce à son talent de chanteuse, elle sait transformer son milieu pour triompher de la pauvreté humiliante.

Le sort des femmes seules semble moins dur toutefois que la vie des femmes qui vivent sous la domination d'un mari tyrannique. Cette domination, Roy l'expose sous l'apparence d'un découpage traditionnel entre les rôles de mari et femme. Anastasia, la mère de Nikolaï, retient l'attention parce qu'elle aussi se donne à une activité créatrice : elle possède le talent de fabriquer des fleurs en tissu ou en papier. Mais dès qu'elles sont prêtes, le père s'en empare pour les vendre aux grands magasins. Dans la famille Demetrioff, c'est le père tyrannique qui s'occupe de tous les achats, alors que sa femme, inféodée à son mari, «n'a jamais un sou en poche» (*CV* p. 71). Les attitudes masculines envers la femme sont d'ailleurs apprises à la maison et transmises de père en fils, si bien que le cycle de domination qui pèse sur la femme s'avère difficile à rompre. Ainsi Johnny menace-t-il sa mère, la traitant de paresseuse et de négligente parce que «le père l'a dit» (*CV* p. 23).

---

[25] Il semble que Gabrielle Roy ait voulu insister sur cet aspect. La phrase suivante, écrite à la main, est intercalée dans la version dactylographiée du récit, p. 172 : «À plusieurs reprises, elle aurait cherché à ravoir l'enfant, mais sans succès, la justice l'ayant confié à la garde du père». Incorporée au récit, la phrase figure à la page 165 de *Ces enfants de ma vie*.

La vérité psychologique de ce portrait, comme d'autres, abolit les distances pour révéler des constantes des comportements humains.

Cependant il y a un aspect de la condition féminine qui est développé au point où, dominant l'histoire de l'enfant, il semble conçu pour mettre Christine en garde contre le rôle féminin. La nouvelle entière de *La maison gardée* est placée sous le signe de la fécondité, cause en dernière analyse de tant de misère féminine. Ce thème est annoncé par les élèves de campagne, qui parlent aussi spontanément de la fécondité humaine que de la fécondité animale. Presque tous d'ailleurs viennent de familles nombreuses : cinq Lachapelle, cinq Cellini, une troupe de petits Auvergnats... Quant aux six Badiou, tous au-dessous de sept ans, ils sont nés au rythme d'un bébé tous les ans, même si les accouchements sont si difficiles que l'on entend madame Badiou hurler pendant trois jours. Mais ce sont les mots de madame Pasquier qui résument le mieux le caractère apparemment inéluctable de la destinée féminine, «la nature a ses exigences» (*CV* p. 118). Avec madame Pasquier, l'auteure semble donner un visage humain aux propos ironiques que Simone de Beauvoir lance au sujet de l'idée traditionnelle de la maternité : «C'est par la maternité que la femme accomplit intégralement son destin physiologique; c'est là sa vocation "naturelle"[26]». Victime de sa fécondité encore plus que la

[26] Simone de Beauvoir, *Le deuxième sexe*, Paris, Gallimard, 1949, vol. 11, p. 290.

tante Thérésina Veilleux de *Rue Deschambault*[27], madame Pasquier doit rester couchée pendant les mois de sa grossesse, trop malade pour faire autre chose que de diriger la maison de son lit. Pauvreté, humiliation, souffrance, isolement – telles sont les conséquences de la «vocation naturelle» de madame Pasquier. Et l'image qui surgit alors dans l'esprit de Christine est celle de «la reine-mère chez les abeilles, secondée de leur mieux par ses petits serviteurs dans sa terrible tâche de pourvoyeuse de l'espèce» (*CV* p. 121). Cette image de la souffrance pousse Christine à agir dans le sens de la solidarité féminine. «Tout à coup je n'en pouvais plus moi-même, dit-elle, et pleurai avec elle sur la misère féminine» (*CV* p. 119).

Pourquoi une représentation si sombre de la condition féminine? L'auteure semblerait se complaire à décrire une vie pénible, dominée par les difficultés matérielles à un tel point que les relations humaines sont viciées par la réalité quotidienne. S'agirait-il pour la femme d'une réalité aujourd'hui largement dépassée par suite des progrès effectués dans les domaines médical, technologique ou social? Certes, la vie des femmes s'est améliorée ces dernières décennies grâce à des facteurs comme la maîtrise de la fécondité, le système de sécurité sociale, la technologie moderne et l'intégration plus encadrée des immigrants, et, bien

[27] Thérésina est également empêchée par son état de santé d'être mère à part entière. Mais elle souffrait de l'asthme alors que madame Pasquier était victime de sa grossesse. De plus, l'histoire de Thérésina est écrite dans une veine humoristique, bien différente du ton sombre qui domine *La maison gardée*.

sûr, sous la pression des revendications du féminisme. Mais on remarque aussi que dans ce texte la vision pessimiste de Gabrielle Roy n'englobe aucune épouse comblée, aucun couple heureux; les rapports de pouvoir empêchent toute communication réelle entre ces femmes écrasées et leur mari tyrannique, brutal ou absent. Aucun portrait favorable d'homme non plus : le père Demetrioff est d'une brutalité sauvage, Rodrigue Eymard donne à son fils un exemple souvent mauvais et même le jeune papa tendre de Vincento est indulgent au point de se montrer faible.

Un destin frustrant

Bien qu'une certaine critique du patriarcat ne soit pas exclue de cette vision, il est déconcertant de noter que rares sont les occasions où Christine se montre solidaire de la souffrance féminine. Il est vrai que son rôle d'institutrice la sépare du groupe des mères qui lui amènent leur enfant lors de la rentrée. Peut-être devra-t-elle remédier à leur manque d'autorité ou d'affection à l'égard de leurs enfants. Il est certain que malgré sa jeunesse, elle devra s'imposer et se faire respecter en tant que femme professionnelle. Toujours est-il que la solidarité féminine l'incite rarement à franchir la distance qui la sépare des autres femmes. Certes, elle remarque que la femme ne jouit pas d'un statut privilégié; elle se montre sensible à l'asservissement féminin. Mais il faut les confidences de la mère de Clair ou les souffrances de madame Pasquier pour évoquer chez Christine des sentiments de solidarité.

Il est fort possible donc que l'auteure ait poussé son tableau de la souffrance féminine à l'extrême à des fins artistiques, par goût de contraste. La fatalité néfaste qui semble poursuivre la femme tout au long du recueil s'incarne dans son image de madame Pasquier, accablée par ses grossesses et vouée à la misère. Et l'on remarque aussi que toute image maternelle est bannie du récit qui suit (le dernier du recueil) du fait que, sur le plan événementiel, la mère de Médéric s'est enfuie. À l'image de la femme immobile et réduite à sa seule fécondité succède alors celle de l'institutrice, caractérisée par sa liberté de mouvement. Cette femme heureuse et comblée que l'on a déjà aperçue à la fin de *Rue Deschambault* est donc l'antithèse de la femme-mère, victime de la dévalorisation sociale. Son portrait est dessiné par touches successives : elle sait transformer la peur de la rentrée en confiance souriante; elle inspire l'amour du petit Clair et la reconnaissance de sa mère; elle met les talents de Nil au service de la communauté et découvre le talent caché du dernier Demetrioff; par sa seule présence elle apporte aux Pasquier la joie et le réconfort. C'est ainsi que le rôle prestigieux de l'institutrice remplace progressivement le rôle maternel déprécié; à la place de la femme-mère prisonnière se trouve la femme professionnelle, libre et indépendante.

On voit s'établir la dialectique si bien résumée par Gabrielle Pascal : «On passe ainsi de la réalité accablante du rôle maternel à une image sublimée de la vocation pédagogique. Double vision, réaliste et idéale, qui semble composer les deux faces également frustrantes d'un même destin[28]». Il s'agirait donc d'un contraste thématique et artistique volontairement exagéré pour mettre en relief le drame de Christine. Celle-ci règne sur son univers scolaire, dont elle tire des satisfactions d'ordre personnel et intellectuel qui contribuent à son épanouissement; et au contraire de l'épouse et mère, elle a le droit de garder sa liberté de personne.

Si dans la dernière nouvelle Christine joue un peu auprès de Médéric le rôle de la mère disparue, elle voudrait que son influence ne s'exerce que dans les domaines intellectuel et moral. Le romantisme foncier de son caractère perce à travers son exclamation, «Mais qu'est-ce donc à la fin que je désirais sinon d'être adorée à distance comme une bonne étoile qui guide à travers la vie...!» (*CV* p. 210). Pour aussi idéalisée que soit cette conception de la femme en tant qu'inspiratrice, elle ne saurait satisfaire pleinement Christine. Comme source d'inspiration pour Médéric, cette dernière se limiterait au rôle de guide à la quête de soi d'un autre. Or, en accédant à l'âge mûr, il lui faut se mettre en route vers sa propre définition. Quelle que soit alors son affinité naturelle avec Médéric, elle se garde bien de trop s'engager sur le plan affectif, d'abord parce qu'elle perçoit l'amour et le mariage comme des chaînes, mais sachant aussi que le rôle d'égérie est susceptible de devenir à son tour une entrave à sa liberté.

---

[28] *art. cit.*, p. 144.

Parallèlement, l'on remarque qu'elle se fait une conception de plus en plus détachée de son rôle d'institutrice. Partagée entre l'attachement à ses élèves et l'arrachement nécessaire pour préserver sa disponibilité, elle choisit l'arrachement et part à la fin de l'année scolaire. Tout semble indiquer que l'image de l'institutrice offrant à la société ses qualités maternelles (expression du passage de la femme-mère à l'institutrice-mère) ne satisfait pas entièrement Christine.

Pour ce qui est de sa décision de partir pour l'Europe et de faire son apprentissage d'écrivaine, Christine l'annonce dans la deuxième oeuvre du cycle, *La route d'Altamont*, au cours des discussions avec sa mère. Justement, c'est quand elle quitte son poste d'institutrice pour voyager que Christine se sépare de sa mère. Ses rapports de solidarité et d'identité avec cette dernière sont minés d'un côté par l'image négative de la femme-mère, et de l'autre côté par son besoin de s'établir comme jeune femme libre et indépendante. D'une part, elle insiste sur les signes négatifs de l'amour et du mariage, «propres à diminuer l'être humain» (*RdA* p. 228), exigeant l'abdication du moi et le renoncement au rêve; après tout, une fois mariée sa mère avait dû abandonner ses projets de musicienne et, sublimant ses propres aspirations, se contenter de voir se réaliser les rêves de ses enfants. D'autre part, il est temps pour Christine de dépasser le stade de la symbiose et de se définir elle-même. Malgré les relations harmonieuses qui règnent entre mère et fille et leur réelle affection l'une pour l'autre, si jamais Christine veut se découvrir en faisant fructifier ses propres talents, la séparation s'impose.

En fin de compte, il est évident que l'auteure n'a rien abdiqué de son goût pour les oppositions thématiques. Un rapport constant de tension se dessine tout au long du cycle autobiographique entre la réalité et le rêve, entre la femme-mère, sacrifiée dans une certaine mesure à son mari et ses enfants, et le rôle idéalisé de la création artistique. Entre ces deux figures antithétiques se glissent d'autres images féminines qui reflètent à tour de rôle des solutions possibles ou temporaires au drame féminin, à savoir la vie religieuse ou l'occupation d'institutrice. Mais même l'asservissement de maman est infiniment plus riche que l'abnégation de son amie d'enfance Odile Constant qui, ayant passé sa vie adulte dans les ordres religieux avoue «Moi, je n'ai pas d'histoire» (*RD* p. 129); et la vie d'institutrice, malgré ses avantages, ne la satisfait pas pleinement. Christine est donc prête à tout échanger contre la magie du verbe.

Gabrielle Roy et le féminisme

La solution que Gabrielle Roy choisit pour sa protagoniste, Christine, face à la condition féminine est analogue à celle que l'auteure adopte personnellement. Il ne s'agit point pour cette dernière d'une révolte ouverte contre les autorités socio-politiques et religieuses qui constituent le patriarcat, mais de présenter la condition féminine de façon implicite, au moyen de l'écriture. Il s'agit de donner d'abord une voix à sa mère, ensuite de faire entendre celle de toutes les femmes écrasées et dévalorisées : immigrantes de langue étrangère, mères seules, femmes victimes de leur fécondité, de la pauvreté ou d'un mari brutal. *Ces enfants de ma vie* offre une remise en question et un approfondissement de la condition féminine. Alors que *Rue Deschambault* et *La route d'Altamont* mettent en vedette maman, somme toute heureuse dans sa captivité, *Ces enfants de ma vie* présente une démythification systématique de la femme-mère. Pitié pour les femmes, dit l'auteure dans ce texte à résonances tragiques; marginalisées par la société, celles-ci sont prisonnières et souffrent de leur rôle.

Cependant, pour nombre de critiques tels que Pascal ou Gaulin, cette représentation de la femme a beau préfigurer le féminisme contemporain, elle ne mène qu'à une impasse en termes féministes. Certes, on ne saurait nier que sur le plan fictif, l'institutrice ne se montre guère solidaire avec ses collègues, qui servent d'avertissement plutôt que d'invitation à la solidarité :

> Et l'avenir s'en vint se jeter sur moi pour me peindre mes années à venir toutes pareilles à aujourd'hui. Je me voyais dans vingt ans, dans trente ans, à la même place toujours, usée par la tâche, l'image même de mes compagnes les plus «vieilles» que je trouvais tellement à plaindre, si bien qu'à travers elles je me trouvai aussi à plaindre (*CV* p. 45).

Il est vrai aussi que l'auteure elle-même ne participa jamais aux revendications du féminisme moderne; son oeuvre n'est guère un manifeste. Mais elle ne tourna pas pour autant le dos à l'action solidaire qui vise l'amélioration de la condition féminine. Seulement, elle choisit la voie de l'écriture, sachant qu'elle serait susceptible d'être plus efficace comme écrivaine que comme institutrice. On aurait donc intérêt à juger l'auteure sur le plan où elle a voulu se placer, à savoir le plan artistique, et non sur des intentions qui lui sont étrangères.

D'ailleurs, pour peu qu'on lise ces textes littéraires à la lumière de ses déclarations formelles, les subtilités du langage s'éclairent. En effet, il n'y a pas loin des propos rapportés par Alice Parizeau dans *Châtelaine* aux images littéraires de Thérésina Veilleux et d'autres femmes qui «peuplent le désert» de l'Ouest canadien :

> ... il est inconcevable pour moi d'imposer à une femme des grossesses. C'est à elle de décider si elle veut, ou non, avoir un enfant. Si la liberté n'existe pas au niveau de ce choix, c'est qu'il est inutile d'en parler. C'est que c'est une notion vide de sens. C'est que la liberté n'existe pas dans ce monde[29].

Dans cette même interview, elle qualifie de «révolte» le voyage de maman qui, dans *Les déserteuses,* laisse famille et foyer au Manitoba pour retrouver le Québec, le pays de son enfance :

---

[29] *art. cit.*, p. 123.

> Oh! d'une révolte qui peut paraître aujourd'hui bien innocente, mais qui représentait alors un véritable acte d'indépendance, pusiqu'il s'agissait d'un milieu très conformiste à une époque de silence[30].

On ne devrait donc pas se tromper sur le ton subversif des propos ostensiblement ingénus de la petite Christine :

> Quelquefois, j'avais entendu ma mère, parlant de quelque pauvre femme déjà chargée d'enfants, malade, et qui venait d'en mettre un autre au monde, observer en soupirant : «C'est dur, mais c'est le devoir. Que voulez-vous! il faut bien qu'elle fasse son devoir!» (*RD* p. 39).

Aussi voilé soit-il, le discours qui sous-tend certaines nouvelles affiche la libération de la femme de sa condition d'esclave et proclame son droit à la liberté et à l'égalité.

D'ailleurs, le rôle de précurseur joué par Gabrielle Roy n'est pas toujours passé inaperçu. Avec Anne Hébert, Germaine Guèvremont et Laure Conan, elle est reconnue par l'écrivaine féministe contemporaine Jovette Marchessault qui, dans *La saga des poules mouillées,* réunit les quatre écrivaines dans un espace au-delà du patriarcat où elles peuvent créer une communauté de femmes. «Pour moi, dit Marchessault, ce sont nos mères, faiseuses d'anges ou de pluies, brûlées ou noyées dans l'encre[31]».

---

[30] *art. cit.*, p. 123.

[31] Jovette Marchessault, *La saga des poules mouillées*, Collection théâtre, Montréal, La pleine lune, 1980, p. 24.

Envisagée de ce point de vue, la décision de devenir écrivaine ne représente pas une solution «aristocratique[32]» et même égo-centrique au dilemme féminin. Il est vrai qu'un écrivain doit souvent vivre à l'écart de la vie, se livrant à l'occupation solitaire de la création artistique. Mais, comme le souligne Whitfield, les jugements réducteurs tendent à montrer la ténacité du mythe maternel qui obscurcit la portée émancipatrice de l'oeuvre[33]. Écrivant «dans la maison du père», pour emprunter le titre de l'oeuvre de Smart[34], Gabrielle Roy doit souvent cacher ses observations critiques sous des apparences anodines :

> Ce qui ne veut pas dire qu'elle ne prend pas position : au contraire, ce regard de femme, extrêmement précis et attentif au détail, dévoile impitoyablement les mécanismes du pouvoir qui objectifient les êtres, surtout les femmes, et illustre leurs conséquences culturelles[35].

En dernière analyse, l'institutrice – personne et personnage – est exemplaire dans la mesure où elle décèle la condition féminine et invite à y porter remède.

---

[32] Le mot est de Gabrielle Pascal, art. cit., p. 160. Voir aussi Michel Gaulin, «Ces solutions ne sont que compromis, ne s'adressent pas à la masse, mais à des individus privilégiés», *Le roman canadien-français*, p. 151.

[33] *art. cit.*, p. 57.

[34] Patricia Smart, *Écrire dans la maison du père – l'émergence du féminin dans la tradition littéraire du Québec*, Montréal, Québec/Amérique, nouvelle édition revue et augmentée, 1990.

[35] *Ibid.*, p. 206.

Chapitre 4

Une écriture féminine

> *Mais que l'enfance enregistre donc de façon étrange, parfois jusqu'au moindre détail d'une seule journée, pour laisser cependant tout aussitôt lui échapper un grand morceau de temps.*

Nous avons pu déceler dans les oeuvres du cycle manitobain de Gabrielle Roy une double tentative. Dans un premier temps, il s'agit de remémorer les années passées au Manitoba, et de les transposer dans un mode fictif. L'auteure crée ainsi un espace quasi-autobiographique où elle s'attache à retrouver le monde paradisiaque de l'enfance et à retracer le cours des événements qui firent d'elle une artiste. Mais en deuxième lieu, il est clair aussi que les allusions implicites et explicites à la condition de la femme permettent une lecture thématique en termes féministes. Au moyen de son discours sur le rôle féminin dans la société, l'auteure fait état de la pénible condition de la femme. Avec beaucoup d'artifice, elle réalise un oeuvre qui ne peut qu'être critique au sujet de l'oppression des femmes.

Grâce aux recherches effectuées ces dernières années par les critiques féministes, nous sommes en mesure de reconnaître qu'en plus de sa thématique féministe, la structure de cette fiction autobiographique de Gabrielle Roy et certaines de ses techniques sont des formes d'écriture pratiquées surtout par des femmes. Par son écriture, la femme cherche «à se définir non plus comme objet mais comme sujet», dit Gabrielle Frémont, reprenant les idées de Luce Irigaray et d'Hélène Cixous sur la réification de la femme, ou la femme-objet.

> La plupart des écrits de femmes... cherchent à se dire, à faire part d'un certain type d'expérience, la sienne propre, soit à travers le vécu familial, individuel, conjugal, social [milieu de travail, politique, etc.], soit à partir de réflexions personnelles, histoires de cheminements intérieurs, souvent longs et douloureux[1].

Que ce soit pour traduire la réalité de la femme ou pour créer son imaginaire, le texte littéraire féminin a souvent recours à une structure formelle autre que le récit linéaire – journal, chronique, autobiographie, ou forme épistolaire. En plus, la tentative de se

---

[1] Gabrielle Frémont, *Traces d'elles : essai de filiation*, dans *Gynocritics/La gynocritique : Démarches féministes à l'écriture des Canadiennes et Québécoises*, préparé par Barbara Godard, Toronto, ECW Press, 1987, pp. 86-87.

mettre en scène, de saisir sa propre réalité, amène la femme à réactiver son passé, dans le but de retrouver le détail valorisé par le souvenir. Plutôt que d'imposer à son écriture une progression logique et chronologique, elle enregistre et développe certains épisodes. Ce mode de fonctionnement contribue chez Gabrielle Roy à une texture incorporant à la fois le moment privilégié et le fil conducteur du temps qui passe[2]. L'espace romanesque ainsi structuré mène à cette fragmentation du texte reconnue comme caractéristique de l'écriture féminine. C'est une technique qui fait éclater la linéarité du discours masculin pour privilégier une écriture circulaire :

> L'écriture féminine conçoit aussi le temps du récit d'une façon différente. C'est l'avis de l'écrivaine et de la critique Nicole Brossard qui voit l'écriture des femmes comme étant fragmentée par suite de son recours au passé plutôt que linéaire, chronologique et logique. Ainsi le temps présent est-il souvent suspendu ou figé alors que le temps vécu – le passé – accède au premier plan... Au temps chronologique s'oppose la durée intérieure; plutôt qu'un temps linéaire «long», il s'agit d'un

---

2 Dans un livre récent, le critique David Williams appelle le temps du souvenir «the frozen moment». Pour lui, l'écriture de *La route d'Altamont* rappelle Pound et Proust : «Pound's imagism and Proust's method of photographic juxtaposition are also transformed in Roy's novel into a method of tapestry whereby the frozen moment and the flow of time are both made 'eternally' present». (*Confessional Fictions : A Portrait of the Artist in the Canadian Novel*, Toronto, University of Toronto Press, 1991, p. 33). Bien qu'il n'analyse pas l'oeuvre dans une perspective féminine/féministe, Williams reconnaît que «the ultimate spatial form for time in Roy is necessarily feminine : it is quite literally 'the womb of time'» (p. 187).

temps qui se renferme sur lui-même, un temps «rond» ou en spirale[3].

C'est le cas de *Rue Deschambault, La route d'Altamont* et *Ces enfants de ma vie*, textes qui présentent entre eux des ressemblances frappantes. Les trois oeuvres se composent d'un nombre de nouvelles, écrites à la première personne et racontées par une seule et même narratrice, nommée dans les deux premiers textes Christine. Femme d'âge indéterminé, cette dernière se penche sur son passé pour relater certains événements qui ont marqué sa jeunesse et ses premières années d'enseignement. Elle recrée la petite fille qu'elle était autrefois; elle reconstitue le monde de son adolescence, tant intérieur qu'extérieur; elle se remémore certaines de ses expériences comme jeune institutrice. C'est la présence de cette narratrice et le cadre manitobain qui assurent le lien organique à l'intérieur de chaque recueil et qui servent à conférer aux trois oeuvres une identité commune.

Une intertextualité restreinte

Et bien que les recueils aient été publiés à une dizaine d'années d'intervalle (1955, 1966 et 1977), il se dessine entre les trois un lien certain de continuité. Sans focaliser sur les mêmes événements, l'auteure reprend dans *La route d'Altamont* certaines

---

[3] Christl Verduyn, *L'écriture féminine contemporaine : une écriture de la folie?* dans *Gynocritics/La Gynocritique*, pp. 72-73. Voir aussi Smart, *op. cit.*, p. 209, qui renvoie à André Brochu pour une discussion de l'opposition entre la linéarité masculine et la circularité du discours féminin dans *L'instance critique*, Montréal, Leméac, 1974, pp. 206-246.

périodes des jeunes années de Christine qu'elle avait racontées dans *Rue Deschambault*. Et comme nous avons vu plus haut[4], sa première année d'enseignement dans une école de village, année dont il est question dans *Gagner ma vie*, le dernier texte de *Rue Deschambault*, donne lieu aussi aux deux dernières nouvelles de *Ces enfants de ma vie*. Les textes se rapprochent ainsi les uns des autres et se font écho. Grâce à ces rapports intertextuels, on est en droit de parler d'un véritable cycle à résonances autobiographiques, cycle ancré dans la période manitobaine de l'auteure. Et ce genre d'intertextualité restreinte – c'est-à-dire, rapports intertextuels entre textes du même auteur – multiplie encore ses effets quand on pense à l'interdépendance entre la fiction et la réalité décrite dans *La détresse et l'enchantement*, *Les lettres à Bernadette* et d'autres écrits que l'on pourrait considérer comme non-fictifs. Cette pratique intertextuelle de Gabrielle Roy n'est pas sans rappeler les propos d'Hélène Cixous, pour qui «un corps textuel féminin, c'est toujours sans fin. C'est sans but et sans bout, ça ne se termine pas[5]».

La veine autobiographique et certaines autres techniques que l'auteure affectionne sont donc caractéristiques de l'écriture féminine. Cette redéfinition amène à voir la problématique des genres sous un

---

[4] Voir p. 68.

[5] Hélène Cixous, *Textes de l'imprévisible : Grâce à*, dans *Les nouvelles littéraires*, Paris, 26 mai 1976, p. 18, cité par Évelyne Voldeng, *L'intertextualité dans les écrits féminins d'inspiration féministe*, dans *Gynocritics/Gynocritique*, p. 52.

angle différent. En effet, malgré le grand succès de son premier roman, *Bonheur d'occasion*, dont le réalisme social lui mérite tant d'éloges, la prochaine oeuvre que l'auteure fait paraître est bien différente. *La Petite Poule d'eau* se compose de trois nouvelles juxtaposées mais pratiquement autonomes. Chose curieuse, cette oeuvre s'impose pour ainsi dire à l'auteure pendant qu'elle est déjà en train d'écrire un deuxième roman réaliste, *Alexandre Chenevert*[6]. Mais l'écriture de ce nouveau roman social est, selon François Ricard, «longue et pénible... *Alexandre Chenevert*, à l'origine, est bel et bien un livre forcé, plus ou moins imposé du dehors, pour prolonger le succès de *Bonheur d'occasion*[7]». Par contre, *La Petite Poule d'eau* est rédigé allègrement, en moins de deux ans, pour paraître avant *Alexandre Chenevert*. Et bien que l'écrivaine arrive à terminer celui-ci, c'est l'écriture par fragments de *La Petite Poule d'eau* qui deviendra sa forme romanesque préférée. Comme d'autres femmes, Gabrielle Roy ne se sent pas à l'aise «derrière l'oeil distanciateur d'un narrateur omniscient[8]».

Les trois écrits fictifs du cycle autobiographique

---

[6] François Ricard résume les circonstances dans *La métamorphose d'un écrivain : essai biographique*, dans *Études littéraires*, vol. 17, n° 3, hiver 1984, p. 449. Gabrielle Roy décrit l'épisode dans sa préface à une édition anglaise de *La Petite Poule d'eau*, publiée en 1956. Le texte est repris dans *Fragiles lumières de la terre*, pp. 191-197, sous le titre *Mémoire et création*.

[7] *La métamorphose d'un écrivain*, p. 449.

[8] *Écrire dans la maison du père*, p. 24. Smart fait remarquer plus loin que Margaret Laurence aussi avait affirmé sa prédilection pour les suites de nouvelles après avoir composé un premier roman imposant (p. 203, note 6).

se composent ainsi d'un nombre de fragments, nouvelles reliées mais assez indépendantes. Toutefois, quelques différences superficielles se font remarquer entre les trois textes. Dans *Rue Deschambault*, par exemple, le discours est très fragmenté. Ce recueil se compose de dix-huit nouvelles plutôt courtes, alors que la deuxième oeuvre (*RdA*) n'en compte que quatre, beaucoup plus longues. Quant à *Ces enfants de ma vie*, il comprend six nouvelles de longueur croissante, la première très brève, la dernière (divisée en neuf parties) comparable à un court roman. Chaque suite de nouvelles forme un ensemble assez flou, «une forme littéraire plus orientée vers le devenir que vers la clôture et l'identité[9]». Pour enchaîner ces épisodes nés spontanément, l'auteure doit leur imposer un certain ordre, en l'occurrence un ordre chronologique.

Structure de Rue Deschambault

Pour ce qui est de *Rue Deschambault*, il se présente comme un ensemble textuel cohérent, mais dont chaque nouvelle semble être complète en elle-même. Quelques-unes des nouvelles de *Rue Deschambault* sont d'ailleurs publiées à part après le succès du recueil. Ainsi *Maclean's Magazine* fait paraître *The Gadabouts*[10] (*Les déserteuses*), nouvelle extraite de la traduction anglaise, *Street of Riches*; de même, *Châtelaine* publie *Wilhelm* comme la nouvelle

[9] Smart, *op. cit.* p. 203.

[10] Vol. 70, n° 17, le 17 août 1957.

préférée de Gabrielle Roy, qui elle-même fournit une introduction au récit[11]. Malgré cette autonomie virtuelle, au fur et à mesure que les fragments se succèdent, le récit se déroule. Dans un certain nombre des nouvelles, surtout au début, l'anecdote a pour centre d'intérêt un personnage autre que Christine (*Les deux nègres, Pour empêcher un mariage, Alicia, Ma tante Thérésina Veilleux*) ou un événement extérieur (*Le Titanic, Le puits de Dunrea*). Mais dans la plupart, nous avons affaire à Christine elle-même, racontée sur un ton intimiste par la narratrice adulte qu'elle est devenue. Ainsi dans *Petite Misère* s'agit-il de la rancune qu'elle garde contre son père, qui insiste à l'appeler par ce sobriquet; *Mon chapeau rose* décrit l'ennui de se trouver quasi seule à la campagne, alors que *Ma coqueluche* raconte les richesses intérieures de la solitude. Les six derniers récits, *Wilhelm, Les bijoux, La voix des étangs, La tempête, Le jour et la nuit* et *Gagner ma vie*, sont tous fondés sur les confidences de Christine adolescente, à commencer par ses premières amours avec Wilhelm jusqu'à ses premiers pas dans la vie adulte, décrits dans *Gagner ma vie*. Bien que ces nouvelles soient indépendantes, elles sont convergentes grâce à la présence de Christine. Amusée ou triste, mais toujours perspicace, elle fait dans chaque nouvelle la découverte du monde ou d'elle-même, et souvent des deux à la fois.

À cet égard, *Le Titanic* peut nous servir d'exemple. Au cours d'une veillée dans la grande maison de

[11] Vol. 32, n° 7, juillet 1959.

la rue Deschambault, la tempête d'hiver fait penser aux tempêtes en mer et au grand naufrage du *Titanic*. Il s'agit donc à première vue d'un événement historique dont les tristes faits sont bien connus. Mais le récit de la tragédie est constamment interrompu par les questions de Christine. Et pendant que les adultes cherchent à répondre à ses questions, le déroulement inexorable des événements relatés doit s'arrêter. Ainsi le récit du naufrage se révèle-t-il moins important que les réactions de Christine. La curiosité d'abord : «Il y a donc de la musique pour danser sur un bateau?»; appréhension : «Un iceberg... ai-je demandé, c'est quoi? et j'avais peur de l'apprendre»; la peur : «Comment est-ce que ça sombre un bateau?»; et enfin l'angoisse : «Mais les gens, ai-je crié, les gens heureux, les Vanderbilt?... Mais les enfants, les enfants aussi piquaient droit dans les profondeurs?» (*RD* pp. 92-95). C'est justement en focalisant l'attention sur les réactions de Christine que la lointaine aventure du *Titanic*, arrivée quelques années auparavant à des inconnus, est intégrée à la structure de l'oeuvre[12].

On comprend alors que même si dans certaines nouvelles Christine semble être à l'arrière-plan, elle ne s'absente d'aucune. Chaque fragment contribue ainsi au caractère unitaire de l'oeuvre. Et puisque toutes les nouvelles s'échelonnent des premières

[12] *Le Titanic* est choisi par Réjean Robidoux, pour illustrer la structure profonde de *RD* dans *Introduction à l'étude de Rue Deschambault de Gabrielle Roy*, dans *Revue canadienne des langues vivantes*, vol. 24, n° 1, octobre 1967.

années de sa jeunesse jusqu'au début de sa carrière, on assiste à un déroulement chronologique des événements. Cette évolution temporelle souligne le processus de maturation de Christine et l'affirmation graduelle de sa personnalité. D'une nouvelle à l'autre, par une filiation directe bien que discrète, se déploie la trame d'un *Künstlerroman*, une oeuvre qui raconte la vie et la vocation d'un artiste. Depuis les maladies infantiles jusqu'aux amours, et de la dépendance d'enfance à l'indépendance adulte, chaque nouvelle marque une étape de sa vie.

De même, les horizons du monde de Christine s'élargissent au fur et à mesure qu'elle grandit. La maison de la rue Deschambault est le foyer tranquille et serein d'où l'enfant fera ses découvertes. Mais loin de constituer un monde clos, la maison et le milieu révèlent à la petite fille des visages variés, le «flot multiple, bizarre, torrentiel, nostalgique que formait l'humanité manitobaine faite de presque tous les peuples de la terre» (*FL* p. 154). Grâce aux deux Noirs et à l'Italienne, par exemple, Christine apprend à se méfier des préjugés et des stéréotypes. Quand elle quitte la rue Deschambault pour voyager en Saskatchewan ou à Montréal, elle s'ouvre à des expériences multiples. Et si elle est entourée et protégée au cours de ces premiers voyages, faits le plus souvent en compagnie de sa mère, à la fin elle est prête à gagner son indépendance et à s'en aller seule faire la classe à Cardinal, commençant ainsi son voyage d'adulte.

Envisagé de ce point de vue, il est évident que *Rue Deschambault* n'est pas un simple recueil de nouvelles, puisqu'à l'intérieur du texte l'autonomie de chaque fragment est limitée. En revanche, il s'agit selon toute évidence d'une oeuvre charpentée avec soin qui suit l'évolution temporelle de son héroïne. Tant dans le développement chronologique des récits que par les déplacements spatiaux, l'oeuvre est loin d'être statique. Pour Réjean Robidoux, *Rue Deschambault* serait à vrai dire un roman :

> Aucune de ces nouvelles ne doit être considérée comme autonome, même si chacune est parfaitement dessinée et complète en apparence dans son cadre restreint. Le silence et le blanc qui s'étendent dans l'intervalle d'un récit à l'autre équivalent ici au lien de la durée et de la continuité, perceptibles dans le progrès, chez l'enfant témoin ou acteur, de la participation active aux événements[13].

Mais maintenant qu'on est amené à voir la problématique des genres avec une approche féminine, les termes «chronique» ou «autobiographie romancée[14]» semblent mieux correspondre à l'écriture de ce

---

[13] *Ibid.*, p. 61.

[14] L'expression est de Monique Genuist : «*Rue Deschambault* et *La Petite Poule d'eau* ne sont pas des romans au sens strict du mot, mais plutôt une série de nouvelles. *Rue Deschambault*, autobiographie romancée, consiste en une juxtaposition des épisodes qui ont marqué l'enfance, puis l'adolescence, de la petite Christine. Le fil qui relie les différents épisodes, c'est le temps qui passe, qui fait de l'enfant du début, une jeune fille au seuil de sa vie d'adulte... *Rue Deschambault* peut être comparé à un journal ou à un recueil de souvenirs» (*La création romanesque chez Gabrielle Roy*, p. 108).

texte fragmenté, empreint de subjectivité, qui raconte la femme-sujet.

Structure de La route d'Altamont

Mais que penser de *La route d'Altamont*, oeuvre dans laquelle Gabrielle Roy fait revivre quatre épisodes de la vie de Christine et qui est présentée au public comme «roman»? À première vue, cette oeuvre semblerait néanmoins être conçue et structurée de façon analogue à *Rue Deschambault*, non comme un livre en continu mais comme une suite de nouvelles. C'est un paradoxe relevé par Michel Gaulin :

> Dans ce livre présenté à tort comme «roman» (bien qu'il y ait un certain lien organique entre les nouvelles du recueil, on ne saurait proprement parler de roman), [Gabrielle Roy] revient à la nouvelle, qui semble devoir s'imposer comme son meilleur moyen d'expression[15].

Ce jugement est repris par Antoine Sirois :

> On peut se demander cependant s'il s'agit d'un roman, comme l'indique le sous-titre, ou d'un recueil de nouvelles ou même encore d'une chronique. Il manque à l'oeuvre la rigoureuse articulation d'un roman ou, pour chaque récit, la structure ramassée de la nouvelle, sauf pour *le Déménagement*, plus strictement charpenté. On pourrait parler de récits de souvenirs, assez librement construits pour trois d'entre eux, liés l'un à l'autre, mais

[15] *La route d'Altamont*, dans *Dossiers de documentation sur la littérature canadienne-française*, Ottawa, Fides, 1967, p. 71.

non articulés dans la continuité narrative qu'appelle le roman[16].

En effet, deux épisodes de l'oeuvre (*Grand-mère et la poupée* et *Le déménagement*) avaient déjà été publiés précédemment[17]; quant à la nouvelle, *Le vieillard et l'enfant*, l'auteure l'envisage même avant sa publication comme film et en tire un scénario et des dialogues[18]. Mais même si les nouvelles n'ont pas toutes été conçues en vue d'un recueil, elles gagnent à être considérées comme un tout. Non seulement traitent-elles d'une seule et même thématique, le voyage, mais l'auteure leur a imposé l'ordre chronologique de son autobiographie. C'est peut-être cette cohérence de l'ensemble qui l'a incitée à appeler *La route d'Altamont* un roman. Les quatre épisodes échelonnent la jeunesse de Christine. Elle a six ans lors de son séjour chez sa grand-mère et huit ans au moment où elle voit, émerveillée, la vaste nappe d'eau que le lac Winnipeg constitue. Vers l'âge de onze ans, l'amitié qui la lie à Florence, la fille d'un

---

[16] Antoine Sirois, *La route d'Altamont*, dans *Dictionnaire des oeuvres littéraires du Québec*, IV, Montréal, Fides, 1984, p. 784.

[17] La première partie de *Ma grand-mère toute-puissante* était destinée à une émission de la CBC dirigée par Robert Weaver et appelée *Ten for Wednesday Night*. Cette partie, intitulée *Grand-mère et la poupée*, fut publiée dans le premier numéro français de *Châtelaine* (octobre 1960) et simultanément dans la traduction de Joyce Marshall, *Grandmother and the Doll* dans la version anglaise de la revue *Chatelaine* (vol. 33, n° 10).

[18] Le manuscrit conservé au Fonds Gabrielle-Roy date de 1963. Il indique que l'auteure a donné au scénario deux titres différents, *Un jour au grand lac Winnipeg* et *Le phare dans la plaine*. Le film réalisé par Claude Grenier pour l'Office national du film en 1985 porte le même titre que la nouvelle, *Le vieillard et l'enfant*. Le scénario est de Clément Perron.

déménageur, la pousse à assister à un déménagement. Finalement, à l'époque où elle est sur le point de partir en Europe, Christine est déjà une jeune femme. C'est ainsi que se dessine à travers les quatre nouvelles une progression chronologique analogue à celle de *Rue Deschambault*[19]. Et les ressorts structurels sont même plus faciles à saisir que dans cette première chronique puisque Christine est la protagoniste et ne partage la scène qu'avec un ou deux autres personnages.

Mais à d'autres égards, *La route d'Altamont* est un texte nettement différent de *Rue Deschambault*. Le discours moins fragmenté – quatre nouvelles seulement contre les dix-huit du premier texte – semble susciter un nombre réduit de personnages et d'événements. De plus, les détails réalistes font largement défaut, ainsi que les renseignements sur les moeurs et coutumes de l'époque. Ce manque de spécificité confère à *La route d'Altamont* un caractère plus abstrait, voire onirique. En même temps, l'auteure approfondit bien davantage la richesse humaine de chaque épisode, s'attardant sur le message philosophique. Pour Michel Gaulin, c'est que Christine est «capable d'aller au fond des choses et d'explorer les moments privilégiés de son existence[20]».

---

[19] Voir à ce sujet mon article d'où sont tirés certains extraits, *Structure et techniques narratives dans La route d'Altamont*, dans *La langue, la culture et la société des francophones de l'Ouest*, Saint-Boniface, Centre d'études franco-canadiennes de l'Ouest, 1985, pp. 97-107.

[20] Michel Gaulin, *La route d'Altamont*, dans *Dossiers de documention sur la littérature canadienne-française*, p. 72.

Enchaînées les unes aux autres, les nouvelles mettent en évidence le développement de la sensibilité de Christine. Dans chacune, elle quitte le foyer pour voyager et pour faire des découvertes. Au fur et à mesure qu'elle grandit, sa compréhension des êtres et des choses s'affermit. De même, son interprétation des événements majeurs de sa vie devient progressivement plus perspicace. C'est pour ces raisons que le point de vue de la jeune Christine évolue de nouvelle en nouvelle et que l'on constate dans chacune une perspective légèrement différente.

Structure de Ces enfants de ma vie

Par contre, les six nouvelles de *Ces enfants de ma vie* se situent en la période relativement courte des années d'enseignement de Christine. Elles offrent donc une perspective psychologique plus unie. Et si l'enfance continue à jouer un grand rôle dans l'oeuvre, il ne s'agit plus de l'enfance de Christine mais de celle de ses élèves. Devenue jeune institutrice, la narratrice nous fait part de certaines de ses expériences d'enseignement, d'abord dans une école bilingue de garçons en ville, ensuite à Cardinal, dans une petite école de campagne.

Cette collection de souvenirs puisés dans l'expérience manitobaine de l'auteure offre, sous six visages de nationalités différentes, des portraits de l'enfance d'une portée universelle. Après la publication du recueil, certaines des nouvelles paraissent à part dans divers numéros du *Reader's Digest*. *L'enfant de*

Noël est condensé pour fins de publication dans la «Sélection» du *Reader's Digest* de décembre 1977, avec la notice «l'infinie tristesse d'un petit garçon aux mains vides». La version condensée de *Vincento*, intitulée *Le matin de la rentrée*, paraît dans le numéro de septembre 1978 du même magazine. Quant à l'histoire de Médéric, *De la truite dans l'eau glacée*, elle est condensée et traduite en une douzaine de langues pour paraître dans les numéros internationaux du *Reader's Digest*[21].

Ces nouvelles sont à vrai dire caractérisées par une plus grande autonomie que celles des deux recueils précédents. Chaque réactivation du passé fait naître un fragment indépendant des autres, et ce, malgré le cadre commun de l'école et la même thématique de l'enfance. Seule la présence de l'institutrice, qui focalise chaque épisode, semble assurer au recueil une certaine unité. Aucune progression chronologique n'est sensible; aucun lien de continuité narrative ne se dessine entre les nouvelles, puisque chaque enfant ne figure que dans son propre récit. C'est justement pour remédier à cette apparente hétérogénéité que la traduction anglaise, intitulée *Children*

---

[21] *Médéric*, édition canadienne, vol. 64, n° 384, juin 1979, pp. 163-203; *First Love*, édition canadienne, vol. 115, n° 688, août 1979, pp. 159-188; *Child of my Heart*, édition américaine, vol. 115, n° 689, septembre 1979, pp. 235-263; *La souffrance du premier amour*, *Sélection*, édition française n° 396, février 1980, pp. 175-204; édition suisse, n° 2, février 1980, pp. 131-158. La nouvelle paraît en portugais au Brésil et au Portugal, en allemand, arabe, chinois, coréen, japonais, hollandais, norvégien, danois, suédois et finlandais.

of my Heart, présente les nouvelles organisées en trois parties et sans titres individuels[22].

Chose curieuse, l'année que Gabrielle Roy avait passée dans une école de campagne à Cardinal était en réalité antérieure à ses expériences comme institutrice en ville, à Saint-Boniface. Le parallèle événementiel à la biographie de l'auteure est frappant. Auteure et narratrice se retrouvent toutes les deux dans les mots de la maîtresse d'école de *La maison gardée*, qui se dit «une petite institutrice sans expérience, fraîchement sortie de l'École normale» (*CV* p. 95). Et l'on constate que dans *Ces enfants de ma vie*, contrairement à la démarche chronologique des textes antérieurs, l'auteure retrace ces deux étapes de son itinéraire à rebours. André Brochu le premier fait remarquer cette «progression chronologique à l'envers équivalent à une véritable remontée dans le temps, doublée d'une progression... dans l'intensité des sentiments et des problèmes mis en jeu[23]». En effet, plus elle remonte dans le passé, plus ses

[22] Une lettre du 10 octobre 1978 adressée à Gabrielle Roy et signée par Lily Poritz Miller de McClelland et Stewart révèle que les éditeurs de cette traduction voulaient assurer une présentation moins fragmentée du texte : «I have been thinking more of how we can make the book look more unified rather than a collection of stories. I really think we should avoid the part title pages as in *Garden in the Wind*, and I wonder also if we should perhaps not have titles at all but just an opening display initial. Think about this and let me know what your feelings are». La lettre est reproduite ici avec la permission du Fonds Gabrielle-Roy.

[23] André Brochu, *Ces enfants de ma vie*, *art. cit.* p. 40. Il n'est pas sans intérêt de noter que plus de 20 ans plus tôt, l'auteure avait écrit dans la nouvelle de *Rue Deschambault* intitulée *Ma coqueluche*, «Ils disaient aussi que je ne pesais pas plus à huit ans qu'autrefois, quand j'en avais quatre. Pareil retour en arrière les effrayait. Pour moi, j'étais

souvenirs sont profonds; les portraits deviennent de mieux en mieux développés, tant en longueur qu'en profondeur, si bien que la dernière nouvelle, divisée en neuf parties, atteint l'ampleur d'un court roman. Cette liberté formelle fait contraste avec la structure plus uniforme des deux autres oeuvres.

Une voix double

De telles différences formelles et techniques entre les trois oeuvres sont susceptibles de mettre en valeur diverses facettes des idées de l'auteure, tout en conservant à travers le cycle la cohérence de sa vision. De même, certains éléments de son écriture attestent l'unité sous-jacente aux différents modes d'expression. Parmi les techniques favorisées par Gabrielle Roy, celle de la focalisation du récit s'impose au lecteur. À la place de la perspective unitaire du narrateur omniscient, l'auteure utilise dans son espace fictif une focalisation variable. Le personnage adulte se penche sur son passé, choisit les épisodes à raconter et suscite son moi révolu – enfant, adolescente ou institutrice, selon le cas. C'est elle qui «oriente la perspective narrative[24]», amenant le lecteur à interpréter le récit de son point de vue, avec très peu de latitude. Le récit est filtré tantôt à travers la narratrice révolue (le «je narré»), tantôt à travers la narratrice actuelle (le «je narrant»), si bien

---

plutôt intéressée par ce chemin à rebours. À reculons, est-ce que je ne m'en retournerais pas d'où je venais? J'étais libre, si légère, toujours en voyage!» (*RD* p. 86).

[24] Gérard Genette, *Figures III*, Paris, Seuil, 1972, p. 203.

qu'on est constamment amené à se demander : «qui parle[25]»? À vrai dire, une voix double se fait entendre. Au point de vue de l'enfant ou adolescente succède la perspective adulte, glissement qui crée un texte de mouvement constant.

Par ce biais, une alternance se développe entre le temps vécu du passé, souvent agrandi par le souvenir, et un présent non-spécifié, suspendu d'ailleurs pendant le temps de la narration. À la focalisation variable et la voix double s'ajoute donc un décalage temporel entre les faits et leur narration. La perspective changeante est reproduite au niveau de la langue par le jeu des temps verbaux. Comme d'habitude, l'imparfait traduit son aspect de durée ou de permanence (éléments descriptifs du cadre spatio-temporel et des personnages). Mais alors que le passé simple est utilisé pour marquer les actions achevées du récit, le passé composé s'emploie s'il existe encore un rapport entre le récit et le temps de la narration. Et du fait que cette narration se situe au présent, quoiqu'indéterminé, l'auteure est amenée à se servir parfois du temps présent.

De tels glissements temporels sont caractéristiques du style de Gabrielle Roy dès *Rue Deschambault*. Une lecture attentive des temps verbaux apporte un éclairage intéressant à la nouvelle *Alicia*, qui s'étend sur plusieurs années :

Il faut bien que je raconte aussi l'histoire d'Alicia;

[25] C'est la fameuse question posée par Genette, article cité, p. 203.

> sans doute est-ce celle qui a le plus fortement marqué ma vie; mais comme il m'en coûte!... (*RD* p. 166).

La narratrice adulte nous ramène au présent pour donner le ton à un récit qui déjà s'annonce pénible. Derrière le souvenir évoqué d'Alicia, agrandi et mis au premier plan, se profile la narratrice, dont la douleur se fait encore sentir. Son émotion encore présente à la mémoire est relatée au passé composé, au contraire des étapes successives du récit qui, elles, sont narrées au passé simple :

> Un jour, au grenier, Alicia se revêtit d'une longue robe blanche. Je ne l'avais jamais vue aussi belle : et pourquoi était-ce si triste de la voir belle? Elle se pencha par la lucarne du grenier vers la rue et elle se mit à effeuiller des roses sur la tête de quelques passants...
>
> – Va la chercher; tâche de la distraire, dit maman...
>
> Mais ce jour Alicia ne me reconnut pas non plus. Quand je cherchai à l'entraîner, tout à coup elle me jeta un regard méchant; elle se mit à me crier : Judas! Judas! J'ai eu horriblement peur d'Alicia. Je me suis sauvée en tremblant... (*RD* pp. 167-168).

Ce jeu subtil des temps verbaux est un indice de la présence – ou l'absence – de la narratrice adulte. Les glissements temporels marquent la double voix du passé révolu et du présent, voix qui reproduit un temps intérieur et circulaire plutôt que le temps linéaire et logique. Dans *La tempête*, on voit clairement cette technique, qui donne au texte son mouvement caractéristique ainsi que son ouverture. À vrai dire, deux moments du passé sont figés dans une comparaison qui réunit temps et espace, expérience individuelle et mythe universel, le tout remémoré et associé à un sentiment que l'auteure continue de ressentir :

> L'exaltation que m'a toujours donnée la tempête était trop forte pour que le sentiment de danger pût avoir de prise sur moi. Debout près de la cabane, j'écoutais le vent, d'abord préoccupée de saisir ce qu'il disait... Longtemps plus tard, quand il me fut donné d'entendre les cris des Walkyries, je me dis que c'était bien la musique du vent entendue autrefois, lorsqu'il chevauchait mille chevaux de neige au Manitoba (*RD* p. 256).

Les perceptions sonores et l'intertextualité musicale

En plus des glissements temporels et de la voix double du moi révolu et du moi racontant, l'image acoustique se révèle caractéristique des fragments narratifs de *Rue Deschambault*. Ce qui frappe dans ce texte, c'est à quel point il est dominé par des perceptions sensorielles d'ordre sonore, que ce soient bruits familiers, conversations ou musique. Les nouvelles résonnent de musique, avec une douzaine de références à la musique instrumentale et vocale[26] :

---

[26] Voir Marc Gagné, *Visages de Gabrielle Roy*, Appendice C, pp. 281-282. Annette Saint-Pierre fait remarquer l'absence de la musique dans *Le jour et la nuit* : «Ce récit est le plus triste du livre. D'ailleurs c'est une des rares nouvelles où ne retentissent pas les chants, la danse ou la musique» (*Gabrielle Roy sous le signe du rêve*, Saint-Boniface, Les éditions du Blé, 1975, p. 97). L'importance de la musique est confirmée par la soeur de l'écrivaine, Anna Painchaud, dans sa nouvelle

mélodies de Schumann ou de Rachmaninoff exécutées au piano, le violon de Wilhelm, qui joue *Thaïs*, des disques de jazz, l'hymne *Nearer my God to Thee*, chantée par les naufragés du *Titanic*. Au-delà de la fonction mimétique de reconstituer une époque où la musique constituait un divertissement important, les nombreuses mélodies contribuent à la thématique en reproduisant l'ambiance harmonieuse de l'enfance de Christine.

Les éléments musicaux ne sont pas aussi importants dans *La route d'Altamont*, texte qui vise moins la recréation de la réalité extérieure que le développement psychique de Christine et ses relations avec sa mère. Même si maman dit qu'elle aurait bien voulu être musicienne (*RdA* p. 235), aucun instrument de musique n'est nommé, aucune mélodie n'est jouée. Toujours est-il que Christine décrit en images acoustiques poétisées certains bruits familiers qu'elle entend. En automne, elle écoute le «chant à deux tons» de la scie à bois (*RdA* p. 41); le chant du lac ressemble à «un bruit de paumes frappées l'une dans l'autre par une salle pleine, un soir de concert» (*RdA* p. 119). Et, se remémorant les veillées d'autrefois au temps des battages, la narratrice adulte a l'impression d'avoir «l'oreille collée à une de ces conques où l'on entend un inlassable murmure» (*RdA* p. 213).

Christmas on Deschambault Street. Elle se rappelle les mélodies jouées par les filles au piano et la belle voix de leur frère, Rodolphe, le répertoire de ballades que connaissait leur père et les cantiques de Noël chantés par le choeur de la Cathédrale de Saint-Boniface à la messe de minuit.

De même, dans *Ces enfants de ma vie* les références à des oeuvres musicales se font rares, se limitant à une vieille chanson de Maurice Chevalier, jouée au phonographe, dans *La maison gardée* (*CV* p. 124). Mais la nouvelle entière de Nil, le petit Ukrainien, vibre à la riche sonorité du chant et de la musique. Intitulée *L'alouette*, la nouvelle contient une multitude de renvois à cet oiseau qui s'élève dans le ciel en chantant.

L'intertextualité générale

Pour ce qui est des références littéraires à des textes d'écrivains autres que l'auteure elle-même – c'est-à-dire la pratique de l'intertextualité générale – il en existe peu d'exemples. Deux oeuvres mentionnées dans *Rue Deschambault* sont la fable de La Fontaine, *La cigale et la fourmi* (*RD* p. 25) et *Les mille et une nuits* (*RD* p. 43)[27]. Il y a en outre une

---

[27] Ces deux textes, ainsi que *Le petit Poucet* de *La route d'Altamont*, sont relevés par Marc Gagné dans son index des oeuvres citées par Gabrielle Roy (oeuvres antérieures à 1973 seulement), dans *Visages de Gabrielle Roy*, Appendice C, pp. 279-281.

Malgré le faible nombre de références intertextuelles, l'intérêt que l'auteure portait à la littérature a souvent été attesté. Notons à titre d'exemple le témoignage de Paula Gilbert Lewis, à qui elle a accordé une longue entrevue le 29 janvier 1981 : «Gabrielle Roy fit de fréquentes allusions... à des auteurs qu'elle citait de mémoire, dévoilant ainsi l'ampleur de ses intérêts et de ses connaissances littéraires. Elle admirait, disait-elle, de nombreux écrivains scandinaves et francophones... Parmi les auteurs français qu'elle préférait, qu'elle lisait ou dont elle admettait l'influence sur son développement personnel, elle mentionnait Pascal, Rousseau, Proust, Colette, Montherlant, Mauriac et Camus. Par ailleurs, elle semblait éprouver une grande admiration pour Françoise Mallet-Joris et Marguerite Yourcenar». Voir *La dernière des grandes conteuses*, dans *Études littéraires*, vol. 17, n° 3, hiver 1984, pp. 563-576.

référence à Tennyson, dont Christine s'inspire pour composer une lettre d'amour à Wilhelm (*RD* p. 229). *La route d'Altamont* ne contient qu'une seule référence, une comparaison empruntée au conte de Perrault *Le petit Poucet* : «Que veux-tu que je fasse?» demande Christine à sa mère, qui lui reproche de ne pas savoir retrouver la route qui passe par Altamont. «Comme Poucet, semer des miettes de pain?...» (*RdA* p. 208). Une comparaison analogue, référence cette fois à *Robinson Crusoé*, se trouve dans *Ces enfants de ma vie* : «Il était à mes pieds comme Vendredi à ceux de son maître» (*CV* p. 15). Et dans cette même oeuvre, l'institutrice rappelle à ses élèves la fable du lièvre et de la tortue (*CV* p. 98).

Ces quelques références intertextuelles, loin d'être gratuites, présentent l'avantage de mettre en relief deux des thématiques dominantes de l'oeuvre. Il va sans dire que les contes et les fables évoquent l'enfance alors que *Les mille et une nuits* et *Robinson Crusoé* font rêver aux grands voyages d'aventures. Mais la rareté même de l'intertextualité générale est signe du regard résolument intérieur de l'auteure, qui tient moins à rappeler le monde d'autres écrivains qu'à créer son propre espace littéraire.

Le dialogue

La marque la plus caractéristique de l'écriture de Gabrielle Roy, et celle qui est commune aux trois autobiographies romancées, c'est la place prédominante accordée à la conversation. Déjà, la courte analyse du *Titanic* permet d'apprécier comment l'auteure s'est attachée à faire revivre Christine en reproduisant les propos et les accents de la petite fille. Et, à mesure que cette dernière grandit, son discours se développe, lexique et syntaxe devenant plus appropriés à l'adolescente ou à la jeune femme que Christine est devenue. Le dialogue s'avère en effet comme la technique privilégiée par Gabrielle Roy pour peindre ses portraits; il sert à caractériser les personnages, à figer telle ou telle attitude ou bien à résumer une situation.

À cet égard, les propos intransigeants de la Supérieure et la réplique de maman sont exemplaires. Avant de «déserter» sa famille, maman veut confier ses deux filles aux cheveux longs au couvent, mais la Supérieure lui offre un ultimatum : «Coupez les cheveux de vos filles ou reprenez-les». Sur quoi, maman riposte : «Vous êtes dure, on dirait une prise de voile» (*RD* p. 110). De même, les fragments de phrase du voisin italien, qui éprouve de la difficulté à s'exprimer en français, traduisent bien ses connaissances rudimentaires de cette langue. Celui-ci répond au père de Christine, qui veut savoir s'il va construire une maison aussi grande que la sienne :

> – On non! Oh, la la! Pas un castello; j'ai une toute petite femme, pas très forte, menue, menue. Elle se perdrait dans votre château... Et puis, petite femme à moi mourrait à entretenir, à nettoyer si grand. Mais, quand même, je bâtis grand! (*RD* p. 208).

Dans *La route d'Altamont*, l'habileté de la narration tient en grande partie aux effets langagiers qui miment le processus de maturation de Christine. Dans la première nouvelle, l'auteure ressuscite le monde de l'enfance – impressions, sensations et sentiments – tant et si bien qu'on revit avec Christine l'ennui qu'elle ressent, seule, avec sa grand-mère, ou la joie qu'elle éprouve quand celle-ci lui fait une «catin». On entend alors les mots de l'enfant qui boude – «Je vais m'ennuyer ici, c'est certain, c'est écrit dans le ciel» (*RdA* p. 10) et le cri plaintif de l'enfant en proie à une peine «sans nom, sans cause» : «Que je m'ennuie, que je m'ennuie» (*RdA* p. 16). On saisit l'émerveillement de Christine quand sa grand-mère lui donne la poupée : «Tu es Dieu le Père. Tu es Dieu le Père. Toi aussi tu sais faire tout de rien» (*RdA* p. 28).

Le langage hyperbolique des enfants se fait aussi entendre, par exemple quand Christine tâche de persuader sa mère de la laisser partir avec Monsieur Saint-Hilaire : «Maman, le plus grand lac du Manitoba! Peut-être du monde! Et je ne l'aurais pas vu! J'aurais moi aussi passé ma vie sans le voir!...» (*RdA* p. 96). Ou même lorsqu'elle s'exclame, l'appétit aiguisé par le plein air : «Je mangerais comme dix» (*RdA* p. 123). On reconnaît également l'assurance de l'enfance dans les paroles catégoriques de Christine qui ne manquera certainement pas de visiter en réalité les montagnes Rocheuses qu'elle voit en rêve : «Sûr que j'irai pour de vrai» (*RdA* p. 140).

Toutefois, au fur et à mesure que les récits se

suivent, le temps passe; si bien que dans la dernière nouvelle de *La route d'Altamont*, la narratrice évoque une période moins éloignée de son passé. Devenue adulte, Christine est prête à quitter sa mère et son pays pour s'aventurer sur les grandes routes du monde, «en quête [d'elle-]même» (*RdA* p. 253). Aux courtes phrases simples du registre enfantin succèdent alors celles de l'adulte, plus complexes et plus nuancées. Citons à titre d'exemple le dialogue entre Christine et sa mère, où celle-ci évoque avec nostalgie certains paysages de son enfance. Christine répond :

> Allons, vieille mère, tes collines étaient comme toutes les collines. C'est ton imagination qui a brodé sur tes souvenirs d'enfance et te les présente aujourd'hui si attirantes. Les reverrais-tu que tu serais déçue (*RdA* p. 190).

L'analyse des sentiments l'emporte à présent sur la simplicité d'autrefois. La recherche du mot juste, susceptible de traduire fidèlement les pensées, domine la spontanéité enfantine. Ce souci se fait précisément remarquer au moment où Christine découvre les collines d'Altamont et s'exclame : «Ah, maman a raison... les collines sont exaltantes, jouant avec nous un jeu d'attente, de surprise, nous tenant vraiment en suspens» (*RdA* p. 203). Mais elle retrouve sans peine le ton spontané et familier pour parler de la surprise qu'elle va faire à sa mère en lui faisant découvrir ces collines : «Regarde, mais regarde donc ce qui t'arrive, *mamatchka*» (*RdA* p. 203).

N'empêche que le dialogue ne va pas sans quelque préciosité, trait qui devient plus prononcé dans *Ces enfants de ma vie*, où les propos sont quelquefois trop artificiels. On relève entre autres choses nombre de phrases conditionnelles de niveau littéraire qui semblent prétentieuses et maniérées dans la langue parlée. Que penser par exemple des paroles attribuées à l'institutrice dans *De la truite dans l'eau glacée* : «Que tu aies seulement autant d'application en classe que tu portes d'intérêt à la nature, et tu serais un as» (*CV* p. 144)? Serait-ce pour marquer sa supériorité à Médéric que la jeune institutrice lui dit : «Tu réussirais que je serais la plus heureuse du monde» (*CV* p. 191)? Ou l'émotion de ces lointains souvenirs refoulés ferait-elle oublier à l'auteure les mots simples et directs du discours quotidien?

La perception visuelle

Dans cette écriture narrative plutôt que descriptive, le dialogue reste néanmoins le moyen privilégié par Gabrielle Roy pour peindre avec réalisme ses personnages. Ceux-ci se caractérisent par leurs paroles bien plus que par une quelconque description physique. S'il y a description, celle-ci n'est jamais pourtant d'un mimétisme gratuit; parfois même elle sert à mettre en relief un aspect du texte autre que le personnage. C'est le cas du portrait de l'oncle Majorique, qui surgit à l'improviste en pleine tempête de neige,

> ... entièrement couvert de fourrure, le bonnet de

> racoon enfoncé jusqu'aux yeux, le col de la pelisse remonté; le peu de visage que nous voyions était rouge de froid, rieur cependant; les yeux brillaient, la petite moustache était raide de givre (*RD* pp. 89-90).

Les éléments descriptifs sont ainsi incorporés au narratif et servent moins à caractériser Majorique qu'à souligner l'intensité du froid pendant le rigoureux hiver du Manitoba.

Mais le plus souvent, la description extérieure fournit des indications intérieures et psychologiques sur les personnages. Par exemple, la description de monsieur Saint-Hilaire semble être conçue en vue de dégager la bienséance de sa conduite. Tout chez ce vieillard correct est signe de sa rectitude :

> Ainsi, sous son arbre ou ailleurs, ne l'ai-je jamais vu en débraillé, mais tout à fait boutonné, sa cravate nouée, en veston d'une sorte de toile noire, ses vieilles mains aux veines gonflées pinçant de temps à autre le pli de son pantalon. Dans sa barbe blanche on voyait la trace d'un peigne à dents écartées. Il devait aussi aimer se garder les oreilles propres (*RdA* p. 72).

De même, la description des vêtements d'Odette, soulignant sa coquetterie, nous permet de mesurer par contrecoup l'importance de son renoncement quand elle se fait religieuse (*RD* pp. 69-70). D'autres personnages sont décrits en quelques traits rapides et serrés : le déménageur, «gros homme blond sale, en bleu de travail, toujours maugréant un peu et même, peut-être, sacrant» (*RdA* p. 158).

Même si les textes de Gabrielle Roy sont, somme toute, dominés par des perceptions sonores, quelques-unes de ces descriptions dépouillées sont d'une puissance visuelle remarquable. Prenons comme exemple *Ces enfants de ma vie*, où les éléments descriptifs des élèves sont souvent réduits à de simples croquis : André, «se hâtant, les épaules en avant, le cartable au dos et comme accablé» (*CV* p. 96); ou Nil, mal habillé de vêtements trop grands à l'école mais en blouse ukrainienne à col brodé pour chanter les chansons de l'Ukraine. Et le motif du cheval blanc à crinière noire traverse la nouvelle de Médéric, adolescent à l'esprit vagabond, en veston à franges et chapeau de cow-boy – mais contraint par son père à s'habiller en adulte pour impressionner la jeune institutrice.

On s'étonne néanmoins de constater que certains personnages pourtant importants sont à peine décrits physiquement. C'est le cas notamment de maman, seul personnage à figurer avec Christine dans toutes les trois chroniques. Mais malgré l'absence de description extérieure, le portrait intérieur de maman se dessine de texte en texte si clairement qu'on la connaît mieux que tout autre personnage secondaire. Quant à Christine elle-même, petite fille qui met sa plus belle robe pour aller au lac Winnipeg, adolescente rêveuse ou institutrice qui sait ensorceler les enfants, saurait-on en faire le portrait physique? Dans la mimésis du personnage, les traits du visage ou la couleur des cheveux manquent parce que l'essentiel du message, c'est l'aventure intérieure et la portée humaine et philosophique qui s'en dégage.

La représentation du réel

Cette étude de l'aventure intérieure des personnages s'effectue, comme nous l'avons vu dans le chapitre 1, sur un arrière-plan spatio-temporel reconstruit à partir de la réalité vécue. Dans *Rue Deschambault*, l'espace est décrit avec un souci évident de réalisme : la rue Deschambault «sans trottoir encore», la grande maison sombre où Alicia est enfermée, ou encore le village de Cardinal, tout peint en rouge. Le texte mime le mode de vie des années vingt, brossant un tableau d'ensemble de l'époque, tableau où figurent les Canadiens français de Saint-Boniface et de la campagne manitobaine, mais aussi d'autres groupes ethniques du Manitoba, Italiens, Noirs, «Petits-Ruthènes», avec leurs propres coutumes et moeurs. Un mot italien ou anglais rappelle l'origine de personnages comme Guiseppe Sariano ou «Mr. Jackson from C.P.R.» (*RD* p. 16). C'est le cas aussi dans *Ces enfants de ma vie*, texte dans lequel les enfants s'expriment spontanément dans leur langue maternelle, Vincento réclamant «la casa!» (*CV* p. 10) et Clair souhaitant «Merry Christmas, Mrs. Mother Teacher!» (*CV* p. 35)[28]. Madame Lachapelle

[28] Dans le seul récit de *L'enfant de Noël*, l'auteure recourt pas moins de sept fois à des mots ou expressions anglaises : *Santa Clause, Sissy, ding! dong! ding!* (refrain d'un chant de Noël), *Jack and Jill went up the hill, give in, gentleman, Merry Christmas, Mrs Mother Teacher!*

se signale par ses propos marqués par les traits du parler local :

> – Vous partez pour aller iou comme ça? [demanda cette dernière à l'institutrice].
>
> – Chez les Badiou.
>
> – On sait ben! On fréquente les Français plutôt que son propre monde (*CV* p. 103).

En outre, le mot du terroir est employé dans ce texte pour désigner telle ou telle réalité concrète, le *tumbleweed*, par exemple, «qui ressemble si parfaitement à de vieux rouleaux emmêlés de fil de fer» (*CV* p. 74) ou la *caboose* d'un train. Même dans *La route d'Altamont*, où les notations réalistes «susceptibles de saillir sur le fond[29]» sont évitées autant que possible, cette pratique langagière est exploitée avec l'utilisation de *bye bye*, *Sundae*, *saskatoons*, *mamatchka* et *highway*; et mémère est caractérisée par les archaïsmes de son langage.

Par tous ces moyens, l'auteure crée un puissant appareil mimétique pour représenter cette société localisée dans l'espace et le temps. Mais la reconstitution de l'espace manitobain frappe avant tout par les descriptions du monde naturel. Gabrielle Roy excelle à décrire le paysage manitobain : terre et ciel, grande prairie et petites collines, rivières et lacs, végétation caractéristique. Elle décrit aussi le rigoureux

---

[29] André Brochu, *art. cit.* p. 45. Ce dernier fait remarquer que Gabrielle Roy se gardera bien de dire «hot dogs» auquel [elle] substituera «saucisses chaudes en sandwiches» (p. 46).

climat de la province : les tempêtes de neige qui surviennent en hiver ou les grandes chaleurs de l'été.

De telles descriptions du monde naturel, qui contribuent à l'ambiance réaliste de *Rue Deschambault*, sont parfois imprégnées de lyrisme, laissant prévoir les longues descriptions poétiques de *La route d'Altamont* ou *Ces enfants de ma vie*. Le passage suivant sert à illustrer cette technique de composition, qui conduit par occasion à l'animation :

> ...j'ai aperçu le ciel. C'était une journée venteuse de juin ...et des nuages très beaux, très blancs, se mirent à passer devant mes yeux. Il me semble qu'à moi seule se montraient les nuages. Au-dessus du toit si proche sifflait le vent. Déjà, j'aimais le vent dans les hauteurs, ne s'attaquant ni aux hommes, ni aux arbres, sans malfaisance, simple voyageur qui siffle en se promenant (*RD* p. 138).

La nature ainsi animée occupe une place encore plus importante dans les deux oeuvres postérieures. Les segments descriptifs prennent bien leur origine dans l'observation exacte de la nature mais elles dépassent le détail pris sur le vif pour devenir des nuages rêveurs, une plaine glacée et gelée, ennemie de la vie humaine, ou des vagues accueillantes qui viennent aux pieds de la petite Christine «murmurer peut-être qu'elles étaient contentes de nous voir enfin tous deux arrivés» (*RdA* p. 115). Transformés en éléments constitutifs du texte, plaine ou lac cessent d'être de simples éléments descriptifs. Ils deviennent sujets actifs de narration plutôt qu'objets passifs de signification. Cela se voit clairement au début du récit-titre de *La route d'Altamont*, où «de petites collines se formaient de chaque côté de nous; elles nous accompagnèrent à une certaine distance, puis tout à coup se rapprochèrent...» (*RdA* p. 202)[30].

Ces techniques de composition donnent lieu à une langue chargée d'images et de symboles qui formera l'objet du chapitre qui suit. Cependant, si l'inspiration initiale des nombreuses descriptions et comparaisons naturelles qui embellissent l'oeuvre est puisée dans la réalité vécue de l'auteure, cette réalité n'est pas moins intériorisée au cours des ans. Elle devient alors poétisée, voire mythifiée, et les perceptions sensorielles d'ordre visuel tiennent une plus grande place. C'est pourquoi cet aspect de l'art de Gabrielle Roy atteint son apogée dans *Ces enfants de ma vie*, recueil dont certains passages prennent une coloration lyrique exceptionnelle :

> Loin, au fond du pays plat, tout contre l'horizon tendu de bleu vif, une ligne basse de buissons embrasés des couleurs de l'automne semblait brûler. Si forte était l'illusion du feu que l'on croyait voir trembler l'air là-bas comme au-dessus d'un brasier. Il y avait donc ce feu qui brûlait indéfiniment sans se consumer et mettait en relief la transparence de l'air, le délicat coloris du ciel et surtout, je pense, en dépit de son éclat, la tranquillité profonde de la journée, car c'était bien en fin de

---

[30] Dans cette nouvelle, les collines et la plaine, loin d'être de simples éléments topographiques, sont des symboles complexes. Voir aussi mon article *Les collines et la plaine : l'héritage manitobain de Gabrielle Roy*, dans *Bulletin du Centre d'études franco-canadiennes de l'Ouest*, n° 12, octobre 1982, pp. 22-27. Ces symboles sont étudiés dans le prochain chapitre.

compte ce silence, ce calme amassé, que faisait valoir la flambée des buissons (*CV* p. 143).

Dans ce dernier recueil, on remarque que l'anecdote elle-même est réduite au profit des considérations philosophiques et des dimensions artistiques de l'oeuvre.

Une écriture soignée

Alors que la description de la nature parvient à maturité, d'autres composantes du discours sont parfois moins réussies – chose d'autant plus curieuse que plusieurs témoignages nous renseignent sur l'importance que l'auteure attachait à parfaire son écriture et à polir son style[31]. Les manuscrits de l'auteure conservés au Fonds Gabrielle-Roy ne font que confirmer ces affirmations. Ils sont soigneusement révisés,

---

[31] Voir le témoignage de Monique Genuist, qui a discuté avec l'auteure de l'art de la composition (*La Création romanesque chez Gabrielle Roy*, pp. 107-108). Dans *Visages de Gabrielle Roy*, pp. 178-179, Marc Gagné cite une interview de Pauline Beaudry, publiée dans *Terre et foyer*, vol. 27, n° 7, décembre 1968 – janvier 1969, p. 8, ainsi que des propos recueillis par lui-même (entretien du 8 juillet 1969). La traductrice Joyce Marshall confirme à quel point la version anglaise de ses romans préoccupait l'auteure. Cependant, on doit à François Ricard, directeur du Fonds Gabrielle-Roy et qui a collaboré avec l'auteure, la description la plus complète et la plus récente de sa méthode de travail :

Elle ne prenait pas nécessairement la plume tous les jours, ni pendant très longtemps. C'était surtout l'été qu'elle travaillait, retirée à la Petite-Rivière-Saint-François. Mais alors, elle écrivait avec une intensité extrême, attentive à rien d'autre, tout absorbée par les êtres et les événements qui naissaient de la mémoire et de son imagination. Et le reste de l'année, rentrée en ville, elle reprenait ses manuscrits, les faisait recopier, les polissait, fouillait dans le dictionnaire et la grammaire, raturait certains passages, en récrivait d'autres, jusqu'à ce qu'au bout de trois ou quatre moutures, et après l'avoir lu à quelques amis, elle ait le sentiment que son texte était tout à fait au point et qu'elle ne pouvait plus rien y changer.

la ponctuation des textes est modifiée et la grammaire corrigée. Dans *Mon chapeau rose*, un *e* ajouté à la main change en subjonctif l'indicatif employé à tort après le superlatif : «des tranches d'un pain le plus blanc que j'aie jamais vu... le meilleur lait que j'aie jamais goûté» (*RD* p. 53). La recherche du mot juste amène l'écrivaine à remplacer l'anglicisme *une passe* par trois synonymes, *un billet gratuit, une gratuité* et *un permis* (*RD* p. 107). Et certaines parmi les phrases les mieux réussies sont le résultat de ce processus de médiation. Ainsi, la phrase «pour une femme qui tenait à sa liberté, *c'était extraordinaire comme maman s'était fait des chaînes*» deviendra plus succincte et plus expressive, «*que de chaînes elle s'était faites*» (*RD* p. 109). De même, la difficile condition féminine sera mieux mise en relief dans *La maison gardée* par la suppression de la phrase originale : «Avec son ventre gonflé, ses petits serviteurs zélés autour d'elle, elle me fit penser à la reine chez les abeilles, pourvoyeuse de l'espèce». Cette phrase sera remplacée par celle plus émotive : «Je pensai à la reine mère chez les abeilles, secondée de leur mieux par ses petits serviteurs dans sa terrible tâche de pourvoyeuse de l'espèce» (*CV* p. 121).

---

qu'elle ne pouvait plus rien y changer.

Alors seulement elle le donnait à publier. Puis elle suivait de très près la préparation du livre, corrigeait les épreuves, s'intéressait à la présentation matérielle du volume, et ensuite à la version anglaise, qu'elle discutait avec son traducteur. Quand un de ses livres anciens était réédité, elle le relisait pour le polir encore et s'assurer qu'il soit sans bavure aucune (*Les mémoires secrets d'une jeune fille pas très rangée*, dans *L'Actualité*, octobre 1984, pp. 15-18).

Mais cette recherche constante d'un langage finement nuancé aboutit à une phrase plus complexe, chargée de termes visant le raffinement et la précision. Parallèlement, certains procédés stylistiques tels que l'inversion, employée avec discrétion dans *Rue Deschambault* et *La route d'Altamont*, deviennent plus abondants dans *Ces enfants de ma vie*. Et l'embellissement trop poussé de la phrase risque de produire un niveau de langue littéraire qui, comme nous avons vu plus haut, convient particulièrement mal au dialogue. Pour toutes ces raisons, la phrase s'alourdit et le mouvement allègre, qui traduit si bien la vivacité des nouvelles de *Rue Deschambault*, devient plus lent. De ce fait, certaines phrases deviennent exagérément compliquées :

> Pourtant, que c'est curieux, dès lors que lui découvrait le contentement de retrouver dans le consigné le mouvement, les surprises, les énigmes de la vie, voici que moi-même ne rêvais plus que de retourner, au-delà des livres, à ce qui leur avait donné naissance et ne s'épuisait pas en eux (*CV* p. 150).

Et l'on note aussi dans *Ces enfants de ma vie* beaucoup d'interventions de la part de l'auteure. Certes, la technique narrative qui consiste à raconter le passé illuminé par le regard du présent se prête à ce genre d'interventions. Néanmoins, le rôle de narratrice omnisciente convient particulièrement mal à la perspective plus souple établie par la focalisation changeante. Et certaines interventions semblent d'autant moins habiles que l'auteure insiste lourdement sur un jugement moral ou philosophique. D'autres maladresses se produisent quand l'auteure devance les étapes chronologiques de sa narration[32]. Par exemple, vers le début de *Demetrioff*, l'auteure se demande :

> Auraient-elles pu être évitées les terribles suites de cette idée si seulement Anna avait eu le loisir d'écouter jusqu'au bout le conseil de Léonie? (*CV* p. 66)

ou, anticipant à nouveau le fil narratif :

> Qui donc, alors, aurait seulement pu prévoir chez cet enfant engourdi un don si rare qu'il n'eût pas son équivalent dans toute l'histoire de notre école! (*CV* p. 79).

Évolution de l'oeuvre

Pour conclure, malgré les ressemblances qui existent entre ces trois romans de l'époque manitobaine, l'on constate aussi des différences, tant sur le plan formel que pour les éléments de l'écriture. Pour ce qui est de la structuration de l'espace romanesque, les trois textes se composent d'un nombre de nouvelles complètes en elles-mêmes mais reliées par un fil commun, étant donné que chacune est basée sur un épisode marquant de la vie de Christine. Mais aux récits plutôt courts de *Rue Deschambault* succèdent ceux plus longs de *La route d'Altamont*, alors que les

[32] L'auteure intervient à deux reprises dans *La maison gardée* (*CV* pp. 109 et 113). De telles interventions évoquent l'image de l'auteur omniscient, dont les personnages n'ont aucune liberté d'action.

nouvelles de *Ces enfants de ma vie* deviennent plus longues à mesure que l'auteure remonte dans le temps. Et cette fragmentation des textes n'est qu'une caractéristique parmi d'autres de l'écriture féminine de Gabrielle Roy. L'écriture circulaire qui brouille le temps, la texture qui résulte du tissage du moment figé et du fil du temps qui passe, en sont d'autres.

On reconnaît aussi la récurrence tout au long des trois textes d'un nombre de composantes de l'écriture : l'économie de la narration, l'importance du dialogue, les descriptions de la nature à toutes les saisons de l'année et la pratique d'une intertextualité restreinte attestée par les nombreux rapports des textes de Gabrielle Roy entre eux, pratique opposée au manque quasi total de références intertextuelles à d'autres auteurs[33]. Mais le souci de réalisme qui anime *Rue Deschambault* – scènes localisées minutieusement décrites, références à des oeuvres musicales, allusions aux moeurs et coutumes – diminue progressivement pour devenir de moins en moins apparent dans les oeuvres postérieures. Seulement, la recherche parallèle des effets stylistiques mène à des résultats très inégaux. Alors que les descriptions de la nature évoluent vers un lyrisme certain, on peut regretter que le dialogue n'ait plus la spontanéité et la simplicité animée de *Rue Deschambault*.

---

[33] L'auteure diffère à cet égard des écrivaines féministes des années soixante-dix, chez qui l'intertextualité sous toutes ses formes est une composante importante de l'écriture (Voldeng, *art. cit.*, p. 57). Cela s'explique en partie par le fait que les femmes de cette époque ont souvent recours à cette démarche comme support idéologique alors que Gabrielle Roy est elle-même précurseur.

Sur le plan anecdotique, dans les longs récits de *La route d'Altamont* et *Ces enfants de ma vie*, la scène se rétrécit; l'action extérieure est limitée, le nombre des personnages est réduit et la narration des événements sert plutôt comme point de départ à la réflexion philosophique[34]. C'est tout le contraire de *Rue Deschambault*, dans lequel l'anecdote est au premier plan, ancrée dans la réalité spatio-temporelle d'une petite fille qui grandit à une époque précise, dans un endroit précis. Bien que le cadre soit encore clairement indiqué dans les textes postérieurs, le puissant appareil mimétique est relégué au second plan, cédant la place aux descriptions de la nature ou aux longues observations philosophiques.

À vrai dire, tous ces éléments structurels, stylistiques et anecdotiques semblent évoluer en fonction du dessein – ou du désir – de l'auteure de traiter des problèmes humains. Une telle évolution ne devrait pas nous surprendre. Comme le souligne à juste titre François Ricard : «C'est que Gabrielle Roy, tout en poursuivant dans son oeuvre l'expression d'une même hantise et la résolution d'un même dilemme, le fait moins par la répétition que par l'exploration progressive et le renouvellement incessant[35]». Et l'on sent, à travers l'évolution formelle et stylistique, l'approfondissement qui provient de l'importance que l'auteure attache à son message philosophique.

---

[34] Cp. M. G. Hesse, «à mesure que la romancière, en vieillissant, scrute plus profondément son passé, elle éprouve le besoin d'étoffer davantage ses récits que ceux de *Rue Deschambault*. Voir *Gabrielle Roy par elle-même*, traduit de l'anglais par Michelle Tisseyre, Montréal, Stanké, 1985, p. 93.

[35] *Gabrielle Roy*, p. 50.

Chapitre 5

Un paysage symbolique

J'ai toujours pensé du coeur humain qu'il est un peu comme la mer, sujet aux marées, que la joie y monte en un flux progressif avec son chant de vagues, de bonheur, de félicité; mais, qu'ensuite, lorsque se retire la haute mer, elle laisse apparaître à nos yeux une désolation infinie.

Tant dans le domaine philosophique que sur le plan anecdotique, c'est souvent au moyen de toutes sortes de figures, d'images et de symboles que l'auteure enrichit son oeuvre. Ces pratiques de l'auteure, que nous avons identifiées dans le chapitre précédent, constituent une composante des plus caractéristiques de son discours. Même *Rue Deschambault*, dominé plus que les oeuvres postérieures par l'ambiance réaliste qui se dégage de la représentation fidèle du réel, est émaillé d'expressions figurées et de descriptions animées. Nous avons vu, par exemple, que le vent est un «simple voyageur qui siffle en se promenant» (*RD* p. 138). En plus, Christine décrit le monde comme «une ardoise fraîche, où écrire [sa] vie» (*RD* p. 240) et elle se rappelle la maison au moment où elle se levait comme «déjà toute chaude, en branle, toute dégourdie de son sommeil» (*RD* p. 237).

Dans les trois oeuvres, on ne manquera pas de remarquer la prépondérance d'images tirées du monde naturel. Par exemple, c'est souvent par le biais d'une comparaison animale que l'auteure fige le geste d'un personnage, révèle son attitude ou résume sa disposition. Ainsi, lors du départ de sa grande soeur, Christine est «cramponnée à Odette comme un petit chat à un poteau» (*RD* p. 66) et, dans la même veine, l'élève Vincento grimpe sur la maîtresse «comme un chat à un arbre» (*CV* p. 15). Son camarade de classe, Clair, s'envole dans la tempête tel un «cabri bondissant à travers la neige affolée» (*CV* p. 37) – image qui rejoint celle de Christine sautant «comme une chèvre excitée» quand monsieur Saint-Hilaire lui propose de l'emmener au lac (*RdA* p. 93). Et la comparaison animale sert même à l'occasion à embellir la description d'un élément inanimé comme la route d'Altamont, qui s'avérera riche de symbolisme, et qui «grimpait visiblement, sans feinte, avec une sorte d'allégresse, par petits bonds joyeux, par à-coups, comme un jeune chien qui tire sur sa laisse» (*RdA* pp. 202-203).

À côté de ces images isolées, produites par la comparaison ou l'animation, se trouvent de nombreuses images récurrentes qui frappent par leur haute fréquence d'emploi[1]. Il s'agit avant tout de la représentation de l'espace et des descriptions de paysages plutôt que de personnages. À ce propos, Gabrielle Roy reconnaît l'importance des paysages de son enfance dans «Mon héritage du Manitoba», article dans lequel elle avoue : «Pourtant, de tout ce que m'a donné le Manitoba, rien sans doute ne persiste avec autant de force en moi que ses paysages» (*FL* p. 156). Parmi les aspects remémorés du paysage manitobain, l'auteure privilégie avant tout les figures antithétiques de l'espace clos du jardin et de l'espace ouvert de la plaine, tellement vaste qu'elle prête à des comparaisons avec la mer. Ces composantes majeures donnent aux contours de l'espace manitobain recréé par Gabrielle Roy sa coloration distinctive. Ensuite, l'eau, l'arbre et l'oiseau constituent d'autres éléments du monde naturel chargés par l'auteure de valeurs affectives et symboliques qu'il importe d'analyser. En dernier lieu, il sera question d'approfondir l'opposition entre les collines et la plaine qui sous-tend le discours dans le récit-titre de *La route d'Altamont*. Et l'on comprend avec Marc Gagné «qu'il n'est pas, pour

---

[1] Ce chapitre incorpore des extraits d'analyses présentées dans des articles et communications consacrés à l'écriture imagée et symbolique de Gabrielle Roy, dont *Les collines et la plaine : l'héritage manitobain de Gabrielle Roy*, dans *Bulletin du Centre d'études franco-canadiennes de l'Ouest*, (CEFCO), n° 12, octobre 1982, pp. 22-27; *Symbolisme et communication dans l'oeuvre manitobaine de Gabrielle Roy*, dans *Langue et communication*, Saint-Boniface, CEFCO, 1990, pp. 127-134; *La plaine-mer de Gabrielle Roy*, dans *Mer et littérature*, Actes du Colloque international sur la Mer, Université de Moncton, août 1991, Moncton, Éditions d'Acadie, 1992, pp. 246-255.

Gabrielle Roy, de décor gratuit[2]». Au contraire, il y a souvent correspondance entre le monde naturel et le monde humain. Une telle fusion met en évidence l'unité de l'art de la romancière et donne à son oeuvre sa tonalité onirique toute particulière.

Le jardin, espace clos

À l'imitation du jardin d'Éden, le jardin est un lieu de prédilection, où règne le bonheur parfait des premiers temps. L'espace intime du jardin constitue pour l'enfant un endroit rassurant, où tout est à sa mesure. De ce fait, le jardin de l'enfance est l'illustration par excellence de la thématique de la sécurité qui domine nombre des fragments narratifs sur l'enfance de Christine. C'est aussi un thème auquel l'auteure touche dans certains des récits de *Ces enfants de ma vie*.

Pour l'auteure, l'image du jardin a sa source profonde dans le bonheur remémoré associé au jardin de ses parents. Elle évoque ce jardin dans une description où dominent les perceptions sensorielles – goût, odorat, ouïe et vue : rouge vif des géraniums et fuschias, odeur des arbres fruitiers en fleurs, promesses de fruits d'automne et de confitures, et chant des oiseaux :

> Quelques tracas qu'eût maman, quelques chagrins, dès que le temps était venu, elle laissait tout en

---

[2] *Visages de Gabrielle Roy*, p. 15. Pour une analyse des images dans l'ensemble de l'oeuvre fictive, à l'exception de *Ces enfants de ma vie*, voir pp. 97-169.

> plan pour remettre en terre autour de la maison les géraniums et les fuschias... Papa ensemençait un grand champ libre... il me semble me rappeler que nous eûmes toujours à notre disposition ce beau et vaste potager... Nos arbres fruitiers donnaient leurs fleurs embaumées, ensuite d'acides pommettes dont maman faisait une exquise gelée, des cerises aussi et de petites prunes bleues. À l'arrière, notre cour... était toujours remplie de merles et de pinsons dont le chant était si fort et si joyeux qu'il nous fallait bien l'entendre jusqu'au milieu des malheurs (*DE* pp. 45-46).

La puissance de ces souvenirs d'enfance régit bien des aspects de la trame narrative. La description de la petite rue Deschambault, «fraîche comme un sentier entre les buissons d'aubépine» (*RD* p. 9), évoque un monde neuf. Chaque saison de l'année – hiver compris – apporte à l'enfant ses propres délices (*RdA* pp. 41-44). En effet, l'image littéraire du jardin baigne dans le bonheur édénique et atteste la sécurité qui provient de la nature, pourvoyeuse généreuse et mère consolatrice. C'est ainsi que dans l'oeuvre, Christine va oublier les mots vexés de son père en regardant les ormes ou que, malade d'une coqueluche, elle substituera aux jeux physiques la contemplation des nuages qui favorisent la rêverie. Le jardin de l'enfance est présenté comme le cadre spatio-temporel par excellence de l'âge de l'innocence, où même les mauvaises expériences se font vite oublier.

Mais, pour peu que le jardin devienne trop sécurisant, il risque d'étouffer l'individualité de l'enfant et son esprit d'aventure. Celui-ci se sentira alors à l'étroit et cherchera à s'évader d'un espace considéré désormais comme trop petit, un lieu scellé. Tel est le jardin de la tante de Christine dans le récit *Mon chapeau rose*. Alors que ses trois cousines restent sagement assises au pied d'un arbre, occupées à des tâches sédentaires, Christine s'ennuie. Pour elle, le jardin n'a rien d'attrayant comparé à la campagne environnante qu'elle aperçoit de la balançoire, chaque fois qu'elle se trouve en haut. Elle en vient à considérer ce jardin comme «minuscule», un lieu de claustration où elle se trouve «enfermée de tous côtés» (*RD* p. 51). Rien d'étonnant qu'elle trouve alors le moyen de sortir de cet espace clos, perçu de façon toute négative comme «malingre» (*RD* p. 51).

D'ailleurs, le jardin protégé n'est pas l'apanage de tout enfant. Parmi les favorisés, Nil vit dans un enclos parfumé où la puissante odeur d'une jacinthe triomphe sur les relents de l'abattoir. Par le jeu des équivalences métaphoriques, l'auteure suggère que Nil surmontera les mauvaises conditions sociales auxquelles les immigrants pauvres et marginalisés sont exposés. Par contre, les enfants Demetrioff, élevés dans l'espace diabolique de la tannerie de leur père, ne connaissent que la brutalité et la peur à la place de l'amour et la confiance. Quant à Médéric et André, expulsés trop tôt du jardin de l'enfance, au moins ces enfants de la campagne trouveront-ils dans la nature une certaine consolation.

Si l'image du jardin se trouve le plus souvent

relié au thème de l'enfance et se définit en termes de bonheur individuel, quelquefois aussi cette image se veut plus universelle. Le jardin répond alors aux aspirations d'une collectivité, symbolisant la quête du jardin originel, le retour de l'homme au jardin d'où il fut chassé et dont il garde la nostalgie. Telle est la signification métaphorique de la colonie de Dunrea pour les Blancs-Russiens. Fondée avec l'appui du père de Christine, cette colonie est séparée du monde par «dix milles de brousse, de savanes, de terres mauvaises hantées par le vent» (*RD* p. 142). Et à l'aide de l'eau et des arbres, Dunrea devient un véritable paradis terrestre où les immigrants peuvent pourvoir à tous leurs besoins.

Le village est décrit comme «une oasis dans la nudité de la plaine» (*RD* p. 142). Justement, selon Northrop Frye, «l'imagerie du jardin d'Éden est une imagerie d'oasis : des arbres et de l'eau[3]». Il est vrai qu'un incendie de prairie détruit ce paradis terrestre qu'est Dunrea, mais, en descendant dans le puits du village, le père de Christine est sauvé des flammes :

> Il se mit dans l'eau jusqu'aux genoux, puis jusqu'à la taille. La moitié de son corps gelait, devenu inerte, cependant que sur sa tête pleuvaient des étincelles de feu... (*RD* p. 141).

Et la victoire symbolique de l'eau sur le feu semble préfigurer la renaissance du village.

Avec l'allégorie de Dunrea, l'auteure ouvre une fenêtre sur le mythe de l'Ouest. Pour les immigrants

[3] Northrop Frye, *Le grand code*, p. 204.

qui fuyaient la pauvreté, la faim, l'injustice ou la persécution religieuse, l'Ouest est plus qu'un espace géographique, c'est le pays neuf qui promet une nouvelle vie. Après les divagations de l'exil, les immigrants espèrent y trouver un séjour de bonheur et de plénitude. En dernière analyse, le mythe de l'Ouest rejoint deux grands épisodes bibliques : le retour de l'homme au jardin originel et la découverte de la terre promise.

La plaine, espace ouvert

Dans la description que Gabrielle Roy fait dans son autobiographie du jardin de ses parents, l'on note que cet espace clos donne sur l'espace de la plaine, ouvert à l'infini :

> Cette cour, qui n'était pas tellement grande, donnait sur une ruelle qui, elle, donnait sur un champ non loti, en sorte que tout l'espace libre en arrière de chez nous, se joignant, pouvait nous donner l'illusion d'une échappée de plaine verte... Parfois prolongée mystérieusement par un rougeoiement du ciel que l'on captait, à l'ouverture, entre deux coins de rue plus loin, la faible trouée, en pleine ville, entre les maisons, atteignait à une sorte d'espace sans limites (*DE* p. 46).

À vrai dire, de tous les éléments du paysage qui enrichissent l'espace réel et romanesque de l'auteure, nul n'est évoqué avec plus de ferveur que la grande plaine. Cette réalité topographique, omniprésente et inoubliable, exerce sur elle une fascination incontestable. Elle en a décrit les aspects multiples et variés à toutes les saisons de l'année, et elle l'a représentée dans tous ses textes portant sur le Manitoba.

Autant le jardin est un lieu petit, voire intime – même le jardin collectif de Dunrea se compose d'une vingtaine de maisons seulement – autant la plaine est caractérisée comme un espace illimité. Une série d'occurrences que l'on relève au début du récit éponyme de *La route d'Altamont* suffit à illustrer combien l'oeuvre reflète l'espace référentiel : «une immense plaine ouverte» (*RdA* p. 190), «cette absence de secret... qui me ravissait le plus dans la plaine, ce noble visage à découvert» (*RdA* pp. 191-192), «le pays le plus plat du monde, cette vaste plaine du sud du Manitoba» (*RdA* p. 191).

Mais s'il y a une image surtout qui reste gravée dans sa mémoire, dit-elle dans ses *Souvenirs du Manitoba*, c'est celle de «l'océan de la plaine» (*SM* p. 3). Cette image est reprise tant dans un texte narratif comme *Ces enfants de ma vie*, dans lequel la plaine est décrite comme «une mer lisse, douce et brillante» (*CV* p. 127) que dans un texte non-fictif, où l'auteure se souvient de l'illusion aquatique de la plaine par les jours de grande chaleur :

> Alors quand la journée est chaude, que le soleil brille, on peut voir au loin sur la plaine, trembler un fin mirage d'eau (*FL* p. 119).

Grâce à de telles analogies avec la mer, l'auteure évoque, pour ceux qui les ignorent, la réalité des Prairies, ces espaces immenses, illimités, du Manitoba et de l'Ouest canadien. Elle emprunte des éléments à l'imaginaire maritime, pour décrire en termes familiers un espace littéraire quasi inconnu dans les littératures d'expression française et pour glisser du lieu géographique à l'espace métaphorique.

Cette plaine sans limites constitue, comme la mer, un appel à la liberté; elle invite à l'aventure, à la découverte du moi et du monde. Par le biais de la métaphore, toute une thématique du voyage de la vie est mise en relief, thématique à résonances multiples. Elle se dégage clairement d'un segment descriptif au début de *La maison gardée*, où l'institutrice-narratrice tourne le dos au village qu'elle vient de décrire, car «il n'y avait à puiser là ni courage, ni confiance, ni espoir en demain» (*CV* p. 93), pour contempler la plaine :

> ... à pleins flots l'espoir me revenait; il me semblait faire face à l'avenir, et cet avenir brillait de la lumière la plus attirante qu'il m'a jamais été accordé de surprendre dans ma vie... Rien donc que le ciel, un épaulement de riche terre noire contre ce bleu vif de l'horizon et, parfois, des nuages gréés comme d'anciens navires à voile (*CV* pp. 93-94).

À la *mimésis* de la prairie succède la *poésis* de cette étonnante image visuelle, rappelant que dans cet espace de liberté, tout est à découvrir comme au temps jadis.

Toujours est-il que l'homme, perdu dans la vastitude de la plaine comme dans l'océan infini, ressent parfois avec angoisse sa fragilité et sa temporalité[4]. La plaine est perçue alors comme un espace inhumain, trop vaste, démesurément grand. «Les vastes étendues solitaires et un peu poignantes» (*RdA* p. 253) risquent de donner le vertige. Cela suffit pour transformer «l'immense plaine ouverte» (*RdA* p. 170) en une «immense plaine sans cachette» (*RdA* p. 190), transformation du positif en négatif s'il en fût. Un segment descriptif exemplaire à cet égard est focalisé par la petite Christine, qui passe ses vacances d'été à contrecoeur chez sa grand-mère :

> Il y avait une heure où malgré tout je m'ennuyais. C'était au moment où le soleil, sur le point de disparaître, jette sur la plaine une grande clarté rouge, lointaine et étrange, qui semble encore la prolonger, et aussi la vider comme de toute présence humaine, la rendre peut-être aux songes sauvages du temps où elle vivait dans sa solitude complète. On aurait dit alors que la plaine ne voulait pas sur elle de gens, de maisons, de villages, que, d'un coup, elle eût cherché à se défaire de tout cela, à se retrouver comme autrefois, fière et solitaire (*RdA* p. 15).

La plaine ouverte à l'infini se fait menaçante, elle reflète la solitude de Christine et son angoisse, elle sert d'indice à son état d'esprit, comme s'il existait entre la plaine et la petite fille une interrelation au niveau humain. L'anthropomorphisme fait de la plaine une figure animée, un personnage qui participe à

---

[4] Yolande Grisé relève dans *La thématique de la forêt dans deux romans ontarois* un sentiment analogue d'angoisse devant la forêt illimitée du nord : «l'espace infini écrase, étouffe, anéantit; c'est un lieu investi où rien n'est familier, où l'être découvre subitement le sentiment du néant» dans *Voix et images*, vol. 14, n° 2, pp. 269-280.

l'action, mais qui en l'occurrence suscite un discours effrayé. La nature devient une force envahissante :

> Le village était petit, et la maison de grand-mère se tenait tout au bout; comme la mer, de tous côtés la plaine nous cernait, sauf à l'est où l'on apercevait quelques autres petites maisons de planches qui nous tenaient lieu de compagnes dans ce qui m'apparaissait un voyage effarant. Car, dans cette immobilité de la plaine, on peut avoir l'impression d'être entraîné en une sorte de traversée d'un infini pays monotone, toujours pareil à lui-même (*RdA* pp. 15-16).

La plaine-mer

Comment expliquer cette figure de la plaine-mer, qui se construit à travers deux valeurs diamétralement opposées? Northrop Frye nous apprend que «chacune des images apocalyptiques ou idéalisées de la Bible a un équivalent démoniaque» et, pour celle de la mer, il cite la mer Morte, «tellement salée que rien ne peut vivre ni en elle ni autour d'elle[5]». Pour Gabrielle Roy, les mirages qui surgissent de la plaine revêtent quelquefois la forme de «grands espaces d'eau miroitante, des lacs salés, lourds et sans vie» (*RdA* p. 201). Et elle rejoint la symbolique exacte de Frye en ajoutant «souvent la mer Morte elle-même apparaît». Envisagée de ce point de vue, la mer – et par là même, la plaine – est symbole du chaos et de la mort autant qu'appel à la découverte.

---

[5] Voir Northrop Frye, *Le grand code*, p. 208.

L'angoisse psychologique que l'on peut ressentir face à la plaine infinie et immuable est soulignée à l'occasion par le danger physique qu'elle peut présenter quand la nature fait qu'elle lance un défi à l'homme. Un tel défi est jeté par le climat excessif des Prairies, le soleil brûlant et le vent desséchant de l'été, le froid brutal de l'hiver avec ses blizzards et ses tempêtes. À deux reprises, d'abord dans *La tempête* (*RD*), ensuite dans *De la truite dans l'eau glacée* (*CV*), Gabrielle Roy décrit une tempête de neige en plein hiver qui s'avère tout aussi dangereuse qu'une tempête en mer. La prairie n'est pas toujours «une mer lisse, douce et brillante» (*CV* p. 127); elle peut ressembler au contraire à une mer démontée, qui met l'homme en danger quand ses forces déchaînées s'abattent sur lui. Dans le récit de *La tempête*, la nuit tombe, le vent se lève, la «poudrerie» vole en tourbillons et les quatre adolescents partis pour la fête perdent leur chemin. Ils scruteront longtemps la «houle de neige» avant de revoir une lueur «comme le feu d'un navire que l'on perçoit quand une haute vague le ramène des gouffres» (*RD* p. 233). Cette lumière, qui représente l'espoir pour les jeunes gens perdus dans la vastitude de l'océan de la plaine, est décrite comme «un point infiniment petit de cet infini sans horizon» (*RD* p. 233) mais elle leur permet de retrouver le havre de la maison.

En rejoignant la symbolique de la mer, l'auteure met en branle toute une série d'échos qui se prêtent par association à la description de la plaine. Elle établit d'ailleurs un champ lexical cohérent où figurent, avec la *mer* et l'*océan, vague, houle, flot, navire, bateau, phare* et jusqu'aux *gouffres* où le bateau risque de faire *naufrage*. Cette terminologie maritime se retrouve dans la description d'une deuxième tempête de neige dans la plaine, décrite dans *De la truite dans l'eau glacée*, où Médéric ramène l'institutrice au village après le désastreux dîner avec son père :

> En fait, à peine commencions-nous à contourner l'allée pour nous engager dans la plaine ouverte que ce fut comme si d'un affluent encore quelque peu navigable, nous débouchions dans un flot cent fois accru que nous aurions pourtant à remonter à contre-courant. Nous avons ressenti la résistance, la poussée d'une force sauvage, éclatant cependant partout en sons exaltés et en blanches figures de rêves poussées à l'hystérie. Gaspard formait la proue de notre frêle navire. Il fendait la tempête qui se divisait pour couler de chaque côté du traîneau dans une vélocité folle, pleine de sifflements continus et des cris emmêlés. Parfois on aurait dit l'appel de gens en détresse passant invisibles à côté de nous, en sens inverse, sur des radeaux emportés (*CV* pp. 177-178).

On ne manquera pas de remarquer que les perceptions sensorielles englobent images visuelles et acoustiques pour créer un segment descriptif des plus évocateurs, qui suggère le chaos de l'univers avant la Création. En même temps, la description métaphorique de la plaine-mer se fait au niveau lexical à travers les mots *affluent, navigable, flot, à contre-courant, proue, navire* et *radeaux*. Qui plus est, cette description met en relief la situation angoissante des jeunes gens aux prises avec la plaine grâce à l'utilisation d'un certain nombre d'épithètes morales : leur traîneau est un navire «frêle», décrit plus loin comme «un mauvais navire qui évoquait le naufrage» (*CV* p. 179); Gaspard, proue de ce frêle navire, est un «pauvre cheval» à «l'allure d'un être complètement rendu» (*CV* p. 178); et les poteaux de la ligne téléphonique, seuls guides dans la tempête, sont «humbles» (*CV* p. 178).

Dans *La tempête*, Christine disait : «l'exaltation que m'a toujours donnée la tempête était trop forte pour que le sentiment de danger pût avoir de prise sur moi» (*RD* p. 256). Et malgré le poids sémantique du titre, l'anthropomorphisation de la plaine reste relativement discrète. Mais, à présent, la plaine est devenue hostile, agressive, provoquant au niveau événementiel un sentiment d'impuissance et même de néant[6]. «Je m'abandonnai au rêve de partir de cette vie... je nous imaginais, Médéric et moi, tels qu'on nous retrouverait, la tourmente passée, deux pures statues, les cheveux et les cils poudrés de frimas, intacts et beaux» (*CV* p. 181). Sous la tempête, la plaine prend des aspects anthropomorphes; elle se fait menaçante et brutale, elle dresse contre les jeunes gens ses hautes vagues de neige, elle déchaîne ses vents avec des plaintes et des hurlements. Ennemie implacable, elle se transforme d'un objet passif de signification en un sujet actif de narration. Elle

[6] Cp. l'émotion que provoque la forêt dans le roman ontarois ainsi que dans *La forêt* de Georges Bugnet, Saint-Boniface, Les Éditions des Plaines, 1984.

devient personnage à part entière, signe de danger et de mort. L'attrait du néant est tel que l'institutrice entend, «au fond des vents hurleurs» (*CV* p. 181), les anges révoltés qui l'appellent. C'est une image qui établit un parallèle tonal et thématique avec *La tempête* de *Rue Deschambault*, où le vent qui pleure lui fait penser à l'Archange jeté dans les ténèbres : «le vent, se dit-elle, c'est Lucifer à qui une ou deux nuits par hiver appartient le Manitoba» (*RD* p. 257).

On ne s'étonnera pas de trouver que c'est au cours d'une veillée par une nuit de tempête de neige que l'on raconte le naufrage du *Titanic*. Christine se pose alors la question :

> Mais d'où vient que nos plaines glacées, que nos pauvres plaines gelées ne suffisaient pas à nous donner une assez haute idée de la solitude! Que pour en parler comme il faut, nous autres, gens enfoncés au plus intérieur du continent, nous évoquions l'océan! (*RD* p. 90).

En guise de réponse, il faudra reconnaître que la comparaison entre plaine et océan se fait volontiers au Manitoba, au point où l'on dit communément que les habitants de la Plaine sont d'excellents marins, tant ils sont habitués à l'immensité et à la monotonie des grands espaces. Peut-être n'est-il pas étonnant que l'écriture de l'auteure soit donc pénétrée de cette analogie en général. En outre, dans le cas particulier de Gabrielle Roy, la prépondérance des images maritimes est peut-être reliée à l'épopée familiale, maintes fois racontée par sa mère, sur les lointaines origines acadiennes de la famille. Et l'on constate que le grand voyage en chariot ouvert qui débuta au Québec et s'acheva à l'Ouest fait surgir des comparaisons maritimes :

> ... j'imaginais le tangage du chariot, se souvient l'auteure dans *Mon héritage du Manitoba*, et je croyais voir, de même que du pont d'un navire en pleine mer, monter et s'abaisser légèrement la ligne de l'horizon (*FL* p. 146)[7].

Elle continue par raconter qu'elle s'était retrouvée dans l'exacte atmosphère du récit de sa mère en lisant *La Steppe* de Tchekhov. Et sans vouloir en conclure à un emprunt, il est sûr que l'exemple du grand écrivain russe, qu'elle admirait, a dû constituer une certaine sanction littéraire pour sa propre représentation fictive de la prairie. Dans une veine analogue, nous voudrions attirer l'attention sur le roman d'Alain-Fournier, *Le Grand Meaulnes*, où abondent les images maritimes mais dont l'espace fictif est sa Sologne natale, contrée située loin de la mer[8]. Gabrielle Roy décrit dans son autobiographie comment madame Jouve, sa logeuse à Paris, lui remet ce roman en faisant remarquer : «Tout Paris en parle!

---

[7] L'auteure en parle aussi dans son autobiographie *La détresse et l'enchantement*, pp. 24-29. De son propre aveu, elle aurait voulu écrire un roman sur cette épopée familiale. Dans *Gabrielle Roy : petite topographie de l'oeuvre*, dans *Écrits du Canada français*, vol. 66, 1989, p. 32, François Ricard relate qu'il reste «un bon nombre de pages du grand projet de "saga" familiale qui a occupé la romancière entre 1955 et 1965 environ et qu'elle n'a pu mener à terme».

[8] Stephen Ullmann consacre le chapitre 2 de son ouvrage intitulé *The Image in the Modern French Novel*, New York, Barnes & Noble Inc., 1963, au symbole de la mer dans *Le Grand Meaulnes*. Ullmann compte dix-huit images associées à la mer, soit à peu près un septième du total des images du roman.

Tout Paris en raffole» (*DE* p. 272). Et si, au dire de l'auteure, elle était alors «trop Grand Meaulnes [elle]-même» pour y prendre goût, elle en a parlé plus tard comme un des romans marquants pour elle[9].

L'eau

Mais aussi riche que soit le motif de la plaine-mer, en même temps figure et analogie, celle-ci n'est qu'une manifestation parmi d'autres de la prédilection que l'auteure témoigne pour les images aquatiques en général et pour le grand symbole de l'eau. «Tout a commencé par l'eau dans la création», dit monsieur Saint-Hilaire à la petite Christine qu'il a emmenée voir le lac Winnipeg.

Dès le premier abord, ce lac produit une grande impression par sa seule présence physique. Avec ses vagues et ses mouettes, l'immense nappe d'eau du lac Winnipeg est une véritable mer intérieure; il assume dans cette nouvelle les fonctions symboliques de la mer prêtées ailleurs dans l'oeuvre à la plaine. L'analogie entre lac et mer est annoncée par le vieillard, qui affirme avoir vu sur le lac «des tempêtes presqu'aussi grosses que sur la mer» (*RdA* p. 107). Comme la plaine-mer, le lac est caractérisé par sa vastitude : «Devant, d'un horizon à l'autre... c'était le lac. Rien que de l'eau» (*RdA* p. 115); il est décrit comme une «étendue sans bornes» (*RdA* p. 116). Y

---

[9] Voir son interview avec Paul Wyczynski dans les *Archives des lettres canadiennes*, III, 1963, 2e édition, Montréal, Fides, 1971, pp. 339-343.

a-t-il même une différence entre ce lac et la mer? Le vieillard d'affirmer :

> À un certain degré d'ampleur et de vastitude, l'oeil humain ne distingue plus de différence. Ainsi nous pourrions très bien en ce moment être assis au bord de l'océan (*RdA* p. 140).

Cette journée passée au bord du lac est loin d'être une simple promenade. Au fur et à mesure que les liens de communication se nouent entre monsieur Saint-Hilaire et Christine, la rencontre fictive entre la jeunesse et la vieillesse fait naître de profondes réflexions sur le commencement et la fin, sur la continuité entre le temps passé, présent, et futur. Au bord du lac sont réalisées la quête et la découverte de l'autre et de soi – essence même de la communication. Ce lac mystérieux, à la fois changeant et constant, est, à l'instar de la mer, un véritable symbole de la vie humaine, pleine elle aussi de grands mystères : naissance, mort, au-delà. Comme le dit Annette Saint-Pierre : «Le lac est pour Christine beaucoup plus qu'une grande étendue d'eau; elle lui reconnaît un corps et une âme, selon l'expression de Bachelard[10]».

---

[10] «Ainsi, l'eau nous apparaît comme un être total; elle a un corps et une âme, une voix. Plus qu'aucun autre élément peut-être, l'eau est une réalité poétique complète», dit Gaston Bachelard, *L'eau et les rêves*, Paris, Librairie José Corti, 1942, pp. 22-23, cité par A. Saint-Pierre, *op. cit.*, p. 119. Pour ce qui est de l'influence de Bachelard sur l'auteure, le témoignage de Paula Gilbert Lewis est important. Cette dernière rapporte une conversation avec Gabrielle Roy au cours de laquelle l'auteure «souligna le caractère fondamental de la rêverie dans ses écrits, mentionnant aussi que l'oeuvre de Gaston Bachelard représentait pour elle un apport de première importance». Voir *La dernière des grandes conteuses*, dans *Études littéraires*, vol. 17, n° 3, hiver 1984, p. 572. L'emploi de ce grand symbole est étudié sous un angle différent par Marc Gagné, *op. cit.*, pp. 158-161.

Et pour peu que l'on emprunte la typologie de Bachelard, selon laquelle les images découlent essentiellement des quatre éléments, on comprend que l'auteure puise son inspiration dans la sphère liquide. Qu'il s'agisse du grand lac Winnipeg ou de la petite rivière Seine de Saint-Boniface, «maigre cours d'eau qui se tortillait, s'avançait à la manière d'une couleuvre» (*RD* p. 33), l'eau symbolise l'unité foncière des êtres et des choses[11]. Car l'eau est un moyen par lequel les gens peuvent se rejoindre. Routes de communication des hommes depuis la nuit des temps, les cours d'eau jouaient un rôle de premier plan dans l'histoire de l'Ouest canadien, à l'époque où les explorateurs, voyageurs et coureurs de bois ouvraient le pays.

Cependant, depuis le Styx de la mythologie classique, l'eau peut aussi bien diviser les gens que les rapprocher[12]; point n'est besoin de rappeler que la rivière Rouge sépare le village francophone de Saint-Boniface de Winnipeg. C'est ainsi que Christine, tâchant de rejoindre sa soeur Alicia qui a perdu sa raison, se voit obligée d'accepter qu'une «sombre rivière invisible s'est creusée entre nous. Alicia, sur l'autre rive, prenait de la distance... mystérieusement... elle se retirait» (*RD* p. 158). L'image est reprise dans *Ces enfants de ma vie* au moment où

[11] Cp. cette description du Saint-Laurent, «le lien avec notre plus lointain passé canadien, mais chemin vivant et mouvant et toujours en route vers l'avenir» (*FL* p. 156).

[12] Le Styx ou l'Achéron, fleuve des enfers que les morts durent traverser pour entrer dans le royaume d'Hadès.

Christine quitte son premier poste à l'école de campagne où elle a passé un an. Le bonheur qu'elle éprouve à être nommée à un poste plus important en ville ne suffit pas à étouffer ses vifs regrets à voir «ces petites silhouettes fragiles... [lui] adresser de grands signes, plus grands qu'eux, comme à quelqu'un qui s'éloigne du rivage» (*CV* p. 208).

N'empêche que pour Gabrielle Roy l'eau est le plus souvent un symbole positif – source de la vie en général, indispensable à la récolte, au blé de la grande plaine. Telle est la signification de la rivière Perdue – *The Lost River* du récit *Le puits de Dunrea* – dont le père de Christine avait découvert le lit desséché. Après que les Ruthènes y avaient planté des arbres pour retenir l'eau, la rivière devient de plus en plus profonde, si bien que d'autres arbres poussent d'eux-mêmes pour former une oasis dans la plaine aride. Image de fertilité et d'abondance, cette rivière perdue et retrouvée symbolise la vie même, prête à rejaillir de plus belle pour peu que l'homme cultive la terre et travaille en harmonie avec la nature. Et dans cette même nouvelle, comme nous l'avons observé précédemment, lorsque passe le feu, ennemi estival de la récolte et de la vie humaine dans la Saskatchewan guettée par la sécheresse, ce sera l'eau encore qui sauvera le père de Christine de la mort.

Même l'eau des étangs qui gèle totalement pendant le rude hiver cache dans ses profondeurs vaseuses la vie prête à renaître au printemps. Dans la mesure où elle participe à leur qualité régénératrice, elle reflète les eaux majestueuses du lac et celles chantantes de la rivière. Et bien que cette eau stagnante soit à l'opposé du mouvement continu qui fait de l'un et de l'autre un élément vivant, elle ne participe pas moins au même élan créateur. *La voix des étangs*, qui s'élève jusqu'à Christine au grenier, n'est pas que le chant des grenouilles. C'est aussi la voix intérieure de l'adolescente, l'incitant à se mettre en route vers l'avenir, peut-être pour devenir écrivaine. Dans la même veine, «un chant de grenouilles triomphant» (*CV* p. 58) symbolise dans *L'alouette* la victoire de l'esprit humain et des valeurs artistiques qui renaissent même dans des conditions peu propices. Cette singulière image acoustique du chant des grenouilles, reprenant au printemps leur musique interrompue par l'hiver, devient dans ces contextes un puissant symbole de la créativité artistique.

Une interprétation symbolique plus communément acceptée peut être attribuée à l'eau pure et vive de la source qui figure dans le récit *De la truite dans l'eau glacée*. Ce dernier fragment auquel la remémoration des années d'enseignement donne lieu, raconte l'histoire de Médéric. Cet adolescent à moitié sauvage vit seul avec son père rageur depuis que sa mère, une Métisse, a choisi de regagner la réserve de sa tribu. Assoiffé de liberté et farouchement indépendant, il vit en harmonie avec la nature. Par contre, il est hostile à toute autorité, l'école comprise. Pour la maîtresse de l'école, Médéric présente donc un défi... il faut arriver à connaître sa nature, saisir l'essence même de son coeur. Dans le discours symbolique de

Gabrielle Roy, il faut le prendre à la source, comme on prend la truite, «le poisson le plus méfiant du monde» (*CV* p. 149). Pour l'institutrice, médusée par les truites qui se laissent prendre et caresser, «le plaisir de sentir une sauvage vie confiante au bout de ses doigts» (*CV* p. 160) lui procure une grande joie. Nul doute que par le truchement métaphorique, l'écrivaine voudrait nous faire comprendre que l'institutrice pense à apprivoiser Médéric, son élève le plus rébarbatif.

Mais il y a aussi dans cet épisode au bord du ruisseau des connotations sexuelles. Quand les deux jeunes gens se regardent, «les yeux dans les yeux», tout en caressant les truites, c'est comme s'ils se caressaient indirectement l'un l'autre, par l'intermédiaire des poissons. La distance entre enseignante et élève est alors abolie. Cette scène qu'Agnès Whitfield a si lucidement analysée comme «une vision profondément féminine de l'amour, vu non pas comme conquête et exploitation mais comme confiance... et reconnaissance de l'autre[13]», est une marque de l'originalité du discours de Gabrielle Roy, tant symbolique que thématique.

L'arbre

L'image de l'eau est souvent associée chez l'auteure à celle de l'arbre, association qui tire son origine de la Bible. Northrop Frye rappelle que dans la

[13] *Relire Gabrielle Roy, écrivaine*, pp. 63-64.

description de l'Éden dans la *Genèse*, ce sont les arbres et l'eau qui sont mis en valeur dans les images : «Et du sol le Seigneur Dieu fit pousser tout arbre plaisant à voir et bon à manger; et aussi l'arbre de vie au milieu du jardin, et l'arbre de la connaissance du bien et du mal[14]».

L'arbre est donc, autant que l'eau, symbole de la vie. La stabilité de l'arbre, enraciné dans le sol, évoque la permanence de la vie humaine; reverdissant au printemps, il symbolise la vie renaissante et cette tendresse de l'amour que célébraient les troubadours de jadis[15]; en automne, par contre, il offre au regard un pressentiment de l'hiver et de la mort. L'auteure a d'ailleurs développé ce symbole qu'elle privilégie dans une longue nouvelle intitulée *L'arbre*[16]. Il s'agit d'un chêne vert, honoré comme le plus vieil arbre de la Floride et dédié à la mémoire d'un botaniste célèbre. Cet arbre millénaire est le refuge d'innombrables oiseaux et le centre d'attraction de maints visiteurs. Il oppose au caractère fragile et fugitif de la vie individuelle, la continuité de l'espèce. Telle est la signification de la conclusion de la nouvelle, où l'arbre solitaire se transforme en groupe solidaire :

Et l'arbre lui-même, à la fin de sa longue, longue

---

[14] *Le grand code*, p. 207. Par ailleurs, Gagné rappelle que l'auteure rejoint ici Paul Valéry, pour qui l'idée du fleuve devenu arbre signifie que toute chose s'enracine dans l'eau essentielle (*op. cit.*, p. 158).

[15] La poésie des troubadours et des trouvères du moyen âge associe la renaissance de l'amour au renouvellement de la nature.

[16] Dans *Cahiers de l'Académie canadienne-française*, n° 13, Versions, Montréal, 1970, pp. 5-27.

journée, n'évoquait-il pas un groupe de vieux hommes ce soir réunis en rond dans la clairière, le dos au tronc, le visage au vent – discernables à la barbe seulement – qui chuchotaient sans trêve d'éternelles paroles d'espérance ou de consolation[17].

Cet arbre qui domine les autres arbres de la forêt est décrit comme «un homme élancé au milieu d'une foule[18]». En effet, pour l'auteure l'arbre est le plus souvent le symbole de l'homme, comme le souligne Monique Genuist, pour qui «le personnage de Gabrielle Roy... peut être symbolisé par l'arbre, enraciné dans la terre, et offrant ses branches tordues au Ciel[19]». Petits arbres de la rivière Perdue ou grand arbre de la source aux truites, tombé «dans l'attitude d'un homme étendu qui boit à même l'eau» (*CV* p. 159), en groupe ou isolé, chêne, tremble, pommier, épinette ou sapin, tous sont valorisés en tant que symboles du personnage. L'homme et l'arbre sont tous deux ancrés sur la terre, mais ils aspirent à monter vers la lumière, ils partagent le même élan ascensionnel. Les aspects variables de l'arbre, qui change au rythme des saisons et selon le temps, évoquent les nombreux visages de l'être humain. De même, la diversité des arbres qui se dressent dans le paysage de l'auteure font penser à la richesse humaine, à laquelle de multiples races ont apporté leur contribution. C'est un symbole particulièrement apte de la

---

[17] *Ibid.*, p. 28.

[18] *Ibid.*, p. 5.

[19] *Op. cit.*, p. 151.

province natale de l'auteure avec son «flot multiple, bizarre, torrentiel, nostalgique que formait l'humanité manitobaine» (*FL* p. 154). D'ailleurs, en évoquant les groupes d'arbres que l'on voit dans la plaine manitobaine, Gabrielle Roy leur prête des traits humains :

> Mes amours d'enfance... ce sont les petits groupes d'arbres, les *bluffs* assemblés comme pour causer dans le désert du monde, et puis c'est la variété humaine à l'infini (*FL* pp. 156-157).

Les arbres se rassemblent souvent en groupes pour offrir à l'homme leur protection. Tels sont les arbres-amis du petit bois de chênes noirs au bout de la rue Deschambault; du moment qu'ils ne cachent pas le toit de la maison de Christine, ils en prolongent la sécurité rassurante. Arbres-amis aussi, les petits trembles «qui s'approchaient tout près de la galerie» (*RD* p. 225) chez l'oncle Nicolas. Car comme beaucoup de fermes de la plaine manitobaine, la maison de l'oncle Nicolas et celle d'André dans *La maison gardée* sont entourées d'arbres qui servent à couper le vent; ainsi, ils protègent la maison des intempéries et empêchent la neige d'accumuler autour de la maison en hiver.

Toujours est-il que chez Gabrielle Roy, certaines images courantes deviennent par leur spécificité imprégnées d'un symbolisme neuf. Tel est l'arbre généalogique, la représentation sylvestre de la généalogie. Alors que Christine voit sa grand-mère mourante comme «un pauvre vieux chêne isolé des autres, seul sur une petite côte» (*RdA* p. 54), elle envisage ses descendants comme autant de jeunes arbres couverts de feuilles qui chantent dans la vallée. Autre image neuve, celle dans *L'alouette* du vieillard à l'hospice, qui «agité de tremblements convulsifs était comme un pommier que l'on aurait secoué et secoué alors que depuis longtemps il avait rendu tous ses fruits» (*CV* p. 52).

Les arbres isolés frappent souvent par l'originalité et la fraîcheur de l'image. Nous avons vu que le petit érable rigide du jardin de monsieur Saint-Hilaire fait fonction de figure à la fois réelle et symbolique, puisqu'il ressemble étrangement au vieillard lui-même, tout à fait correct et boutonné, dans sa veste noire et son chapeau de paille. Et la silhouette d'Éveline, diminuée par l'âge autant que par la distance, est pour toujours associée au petit sapin torturé des hauts rochers de la colline, arbre plié par le temps et le vent, mais plein encore de vitalité.

L'oiseau

Comme pour souligner l'unité entre l'eau, l'arbre et l'homme, l'auteure emploie l'image de l'oiseau. Oiseau qui survole la rivière ou qui hante les eaux lointaines; oiseau qui construit son nid dans les branches des arbres; mouette de cette mer intérieure qu'est le lac Winnipeg et de la rivière Rouge tributaire; alouette des prés, solitaire. L'oiseau est fragile et léger; comme il n'est souvent que de passage dans l'espace manitobain si peu hospitalier en hiver, il évoque le caractère éphémère de la vie de l'homme. Cette caractéristique est d'autant plus marquée qu'elle fait contraste avec le visage éternel de la plaine, où «[m]ême le vol d'un oiseau suspendu en tant d'espace... serre le coeur» (*RdA* p. 191). L'oiseau transitoire figé sur le fond de la plaine est l'image même de la condition humaine face à l'éternité. Il évoque l'angoisse de l'homme et sa solitude foncière au même titre que le huard, ce grand plongeon au cri plaintif, «étrange, à faire peur» (*RdA* p. 132), qui habite les endroits écartés du Nord canadien.

Dans les lettres et l'autobiographie de l'auteure aussi, c'est l'oiseau qui sert souvent à caractériser les personnes qu'elle connaît. Chaque fois qu'elle pense à Ruby, son ancienne compagne de voyage en Provence, morte d'un cancer, elle voit rôder autour d'elle «l'ombre d'un grand oiseau, aux sombres ailes déployées, qui plane sur une vallée aride» (*DE* p. 485). Elle-même est «un oiseau tombé sur le seuil» chez Esther, dans la petite maison d'Upshire; et dans une photo où elle figure avec sa soeur Bernadette, elle écrit à cette dernière : «j'ai l'air dans tes bras d'un pauvre petit oiseau frêle à qui tu voudrais épargner des coups» (*LB* p. 199). Quant à Bernadette, elle est tantôt «l'oiseau malmené» (*LB* p. 199), tantôt une «mouette fatiguée» qui devrait se laisser bercer sur la mer, au creux des vagues (*LB* pp. 48-49). Justement, au dire de l'auteure, le vol presque silencieux des mouettes et leur faible cri qui annonce la pluie sont parmi ses souvenirs les plus tenaces. «J'aimais bien, dit-elle, qu'elles viennent jusqu'au milieu d'un continent nous environner d'un sentiment du large, d'une espèce d'angoisse des îles» (*SM* p. 2). Cette mouette devient dans sa fiction autobiographique un oiseau investi de résonances symboliques.

Dans *Les déserteuses*, ce sont les mouettes qui survolent le pont Provencher qui retiennent l'attention de Christine et de sa mère[20]. Oiseaux inattendus, bien qu'authentiques, à deux mille milles de l'océan Atlantique comme du Pacifique, les mouettes du Manitoba évoquent la mer et, par là même, mettent en branle la thématique du voyage. Elles invitent au large, à l'évasion, lançant leur petit cri pointu comme un appel à la liberté. Elles parlent de départs et de découvertes; elles raniment chez la mère de Christine ses vieux désirs encore inassouvis de liberté, au point où elle défait toutes les chaînes qui la lient au foyer pour faire un voyage au Québec, pays de son enfance. Cependant, les mouettes constituent un motif complexe, et celles du Saint-Laurent n'ont pas la même valeur symbolique que celles de la rivière Rouge. Au bout de quelque temps, maman n'est plus dominée par le besoin de liberté; pour peu qu'elle revoie son amie d'enfance, elle est prête à reprendre ses responsabilités domestiques. Cet état d'esprit se trouve reflété dans les mouettes. Groupées dans les touffes de verdure du fleuve, les mouettes du Saint-Laurent rappellent les liens qui attachent l'homme à ses semblables, suggérant qu'il ne faudrait pas tout

---

[20] Le motif des mouettes dans *Les déserteuses* est étudié par Pascal, *La condition féminine dans l'oeuvre de Gabrielle Roy*, pp. 144-145.

abandonner au nom de la liberté[21]. Après avoir retrouvé son amie d'enfance, maman rentrera donc au Manitoba, car le coeur humain a besoin de repères stables autant que de liberté.

L'oiseau-enfant

Par sa fragilité même, l'oiseau est avant tout symbole de l'enfance[22]. Aussi bien dans ses écrits non-fictifs que dans l'oeuvre romanesque, l'auteure fait une association entre l'oiseau et l'enfant. «Et je m'émerveille [de ton coeur] toujours aussi frémissant et palpitant que celui de l'enfant, que celui de l'oiseau», lit-on dans une lettre à sa soeur (*LB* p. 191). «L'oisillon Demetrioff» est tellement peureux que son père s'approche de lui avec précaution, «comme pour éviter d'effaroucher un oiseau» (*CV* p. 88); la voix de la petite Lucienne Badiou ressemble à «un tendre pépiement aigu d'oiseau» (*CV* p. 99); et André, qui à onze ans doit faire un travail d'homme, oublie sa fatigue pour écouter le chant sonore de l'alouette des prés.

L'oiseau-enfant est un symbole développé longuement dans *L'alouette*, nouvelle qui raconte le talent merveilleux d'un jeune Ukrainien à qui sa mère a appris les chansons traditionnelles de l'Ukraine. Rien

[21] Le thème des deux tendances opposées qui partagent le coeur de maman surgit à nouveau dans trois des quatre récits de *La route d'Altamont*.

[22] Pour une analyse de ce symbole dans l'ensemble de l'oeuvre de Gabrielle Roy antérieure à *Ces enfants de ma vie*, voir Gagné, *op. cit.*, pp. 123-126.

qu'à chanter ces chants vibrants des cerisiers en fleurs ou des jeunes amoureux, Nil permet aux autres d'oublier leur peine et de se donner à la joie. Comme dit le directeur de l'école à l'institutrice :

> Voilà donc qu'avec vos trente-huit moineaux, vous avez hérité cette année d'une alouette des champs. Connaissez-vous cet oiseau? Qu'il chante, et il n'y a pas de coeur qui ne se sente allégé! (*CV* pp. 42-43).

C'est en chantant que Nil restaure le courage défaillant de maman, qui doit se remettre d'une hanche cassée; à l'hospice, les vieux semblent retrouver pendant quelque temps leur jeunesse; et un «terrible bonheur» s'empare des malades de l'hôpital psychiatrique. Et parmi les images évoquées dans cette nouvelle, on retrouve le rapport entre l'arbre et l'oiseau qui, dans une certaine mesure, symbolise le lien entre l'homme et l'enfant. Ce rapport est suggéré dans une phrase imagée décrivant l'hôpital psychiatrique, où règne un silence «tel celui d'une forêt qui se recueille pour entendre un oiseau quelque part sur une branche éloignée» (*CV* p. 55), pendant que Nil chante. Le grand mythologue américain, Joseph Campbell, nous apprend que l'oiseau représente la libération de l'âme de la surface terrestre[23]; adapté au vol, l'oiseau peut se délivrer de la terre pour voyager libre dans l'espace aérien. Il symbolise ainsi le dépassement de la matérialité de la condition humaine et l'aspiration parallèle vers le monde spirituel. À la lumière de ces

---

[23] Joseph Campbell, *The Power of Myth* (with Bill Moyers), New York, Doubleday, 1988, pp. 18-19.

valeurs symboliques dominantes, les effets dramatiques de l'«alouette» ukrainienne ne doivent nullement surprendre.

Les collines et la plaine

Si certains symboles se regroupent, d'autres s'opposent les uns aux autres, révélant dans leur juxtaposition antithétique la complexité de l'inspiration artistique. Telles sont les collines et la plaine, importants éléments de l'espace romanesque. Dans *Rue Deschambault*, par exemple, lorsque la petite Christine se balance sur l'escarpolette dans le jardin de sa tante, elle perçoit au loin «des collines bleues» (*RD* p. 42); institutrice, elle accompagne son élève Médéric dans les collines de Babcock sonder le mystère de la truite dans l'eau glacée. Cependant c'est dans la nouvelle *La route d'Altamont* que la puissance évocatrice des collines et de la plaine se fait le plus clairement remarquer.

Rappelons d'abord la fonction mimétique des collines et de la plaine en tant qu'éléments de la représentation du réel. Christine se promène en voiture avec sa mère Éveline à travers la prairie manitobaine vaste et unie. Ayant perdu son chemin, la narratrice se rend compte tout à coup qu'elle ne se trouve plus dans «le pays le plus plat du monde» (*RdA* p. 191), mais dans les petites collines de la montagne Pembina, du côté d'Altamont. Sa mère, qui s'était endormie, se réveille «au plus beau du paysage» (*RdA* p. 103), pour découvrir avec joie des contours qui lui rappellent les collines du Québec, où elle avait passé son enfance. Un an plus tard, en revenant de la ferme de l'oncle Cléophas, Christine et Éveline retrouvent sans difficulté la même route de section de l'arrière-pays qui traverse la petite chaîne des collines. L'année qui suit, peu avant son départ pour l'Europe, Christine emmène sa mère une troisième fois le long de ce même chemin qui passe par Altamont. Cette fois pourtant, ni l'une ni l'autre n'éprouve le même plaisir. Pour Christine, les collines semblent moins impressionnantes qu'autrefois; et sa mère, de son côté, les trouve moins attachantes. En regagnant la plaine, toutes deux se demandent alors s'il s'agissait bien des mêmes collines.

Les collines et la plaine ne sont pas, toutefois, de simples éléments topographiques. L'espace géographique décrit par Gabrielle Roy avec tant de fidélité et d'amour se révèle comme un décor sur lequel est projeté le paysage de l'âme. Ainsi, pour Christine la plaine qui s'étend à perte de vue représente le paysage familier et chéri de sa jeunesse, le seul paysage qu'elle connaisse véritablement. En même temps, c'est l'avenir vers lequel elle se met en marche. Ne sachant encore de façon définitive quelle voie suivre dans la vie, mais ayant une confiance illimitée en l'avenir, Christine est consciente des «mille possibilités du destin» (*RdA* p. 192) qui se présentent à elle, tout comme la plaine s'ouvre devant elle pour lui offrir son vaste panorama. Mais pour Éveline, cette plaine est le cadre de sa vieillesse; elle n'est guère attrayante à côté de son paysage préféré, à savoir les

Laurentides de sa jeunesse. Ainsi, la plaine du Manitoba s'oppose à ses yeux aux collines du Québec, comme la vieillesse fait contraste dans son esprit à sa jeunesse. Entre les deux pôles s'insèrent la nostalgie du paysage perdu et le regret de la jeunesse révolue. Christine suggère d'ailleurs que les contours des collines du Québec dont sa mère se souvient sont quelque peu embellis par l'imagination : «C'est ton imagination qui a brodé sur tes souvenirs d'enfance et te les présente aujourd'hui si attirantes» (*RdA* p. 190).

L'opposition entre les collines et la plaine englobe ainsi différents éléments, la description topographique servant à préciser le contraste entre Éveline et Christine, vieillesse et jeunesse, passé et futur. Pourtant, l'expérience des collines constitue aussi une expérience commune; à mesure que la plaine s'efface et que Christine et sa mère pénètrent dans les collines, celles-ci se transforment peu à peu en un symbole complexe. Grâce à une synthèse remarquable, Gabrielle Roy réussit à faire miroiter dans ce paysage le reflet de l'âme des deux femmes, Christine et Éveline. Gérard Bessette a bien fait remarquer cette «double bipolarité des collines[24]», qu'il convient d'approfondir afin d'en apprécier l'intense effet affectif et esthétique.

---

[24] *La route d'Altamont, clef de La Montagne secrète*, dans *Trois Romanciers québécois*, Montréal, Éditions du Jour, 1973, p. 186 : «Si l'occasion m'en est donnée, j'aimerais étudier un jour en détail la double bipolarité de ces collines qui donnent naissance à une des plus intenses projections affectives de notre littérature».

Au moment où Christine aperçoit à l'horizon les lointaines collines, elle croit de prime abord voir surgir un mirage. Mais, loin de disparaître comme une illusion, la chaîne de petites montagnes prend forme, s'anime même, si bien que la complicité éventuelle entre Christine et les collines se fait pressentir à travers la personnification :

> ... des crêtes en jaillirent, elles prirent de la hauteur, elles accoururent de toute part, comme si, délivré de sa pesante immobilité, le pays se mettait en mouvement, venait en vagues vers moi autant que moi-même j'allais vers lui. Enfin, il n'y eut plus de doute possible : de petites collines se formèrent de chaque côté de nous; elles nous accompagnèrent à une certaine distance, puis tout à coup se rapprochèrent, et en elles nous fûmes complètement enfermées (*RdA* p. 202).

En effet Christine, qui de son propre aveu aimait passionnément la plaine, s'émerveille à la découverte des collines, qu'elle décrit en termes symboliques comme une mer moutonneuse. L'exaltation physique qu'elle ressent est toutefois moins impressionnante que la joie exubérante de sa mère. Car les contours réels des petites collines d'Altamont auront la capacité de rendre à celle-ci la joie de son enfance. Elle est désemparée au début, croyant peut-être comme Christine à une illusion, mais pour avoir entendu parler de la montagne Pembina, elle reconnaît presque immédiatement la réalité géographique du lieu où elle se trouve. C'est alors qu'elle s'avance seule à pied dans les collines pour prendre avec elles un contact physique; elle entre dans une communion intense avec le paysage et retrouve, par le moyen d'une fusion avec les collines de son enfance, son âme de jeune fille. «Là où l'on retourne écouter le vent comme en son enfance», dit Gabrielle Roy, «c'est la patrie» (*FL* p. 149). Les collines sont effectivement la patrie spirituelle d'Éveline; c'est pourquoi elles deviennent l'occasion pour elle d'une célébration joyeuse. Mais pour Christine, cette réunion de la vieillesse et de la jeunesse chez une seule et même personne est une occurrence troublante qui lui fait pressentir que la vie d'Éveline tire à sa fin : «... la petite ronde doit être presque finie, la fête terminée» (*RdA* p. 207).

Le deuxième voyage dans les collines s'avère nettement différent du premier. Le voyage extérieur et physique dans le temps et l'espace est subordonné au voyage intérieur et affectif[25], si bien que le dialogue entre Christine et sa mère remplace alors les segments descriptifs de la trame textuelle. Mère et fille poursuivent ensemble leur voyage, le temps et l'espace extérieurs doublés par le temps et l'espace intérieurs. Cette curiosité que Christine éprouve envers les collines en sera satisfaite, tout comme la nostalgie d'Éveline en sera apaisée. Il s'ensuit une période de vraie communication entre la mère et sa fille.

---

[25] L'importance du voyage dans l'univers romanesque de Gabrielle Roy est étudiée par Albert Legrand dans son article *Gabrielle Roy ou l'être partagé*, dans *Études françaises*, 1ère année, n° 2, juin 1965, pp. 39-65. L'article traite en particulier de *La montagne secrète*, oeuvre qui a un rapport intime avec *La Route d'Altamont*, comme l'a bien montré Gérard Bessette dans l'article cité ci-dessus.

C'est par l'intermédiaire du dialogue entre Christine et Éveline que Gabrielle Roy reprend les thèmes majeurs de l'existence humaine : la continuité entre le passé, le présent et l'avenir; le conflit entre le déterminisme de l'hérédité et la liberté individuelle; la lutte entre l'amour humain et la solitude inhérente à la condition humaine; la difficulté de connaître l'autre et la soif de se connaître soi-même. L'espace référentiel se transforme en lieu de rencontre ontologique, où tous les grands problèmes se posent mais où tous pourront se laisser résoudre par la communication. Christine et sa mère se retrouvent à travers les générations, et la difficulté de connaître l'autre s'efface dans une communication d'une intensité exceptionnelle.

Mimésis transformée en *poésis*, monde palpable devenu impalpable : les collines sont un lieu fascinant de la métamorphose. Aussi longtemps que les pensées d'Éveline et de Christine fusionnent dans une période de communication, les collines reflètent leur état de tranquillité intérieure et d'harmonie. Mais que Christine parle de ses projets de quitter sa mère pour voyager en Europe et les collines changent de visage pour réfléchir leurs relations conflictuelles. C'est pour faire plaisir à sa mère que Christine lui propose de visiter la ferme de l'oncle Cléophas et de revenir, une dernière fois, par la route d'Altamont. Cependant, la communication harmonieuse qui régnait pendant le deuxième voyage se dissipe par le départ imminent de Christine et les vifs regrets qu'éprouve Éveline. Loin l'une de l'autre sur le plan affectif, chacune trouve dans les collines le reflet de son propre état d'âme, faisant d'un simple élément topographique un symbole complexe, antithétique et bipolaire.

Les deux perspectives opposées se présentent dans les domaines du temps et de l'espace. Pour la mère, qui ressent la nostalgie du passé, les collines n'éveillent que le regret de la jeunesse perdue, qui fait que la force, le courage et les belles aventures se sont tous effacés. Le voyage de la vie est presque terminé et le passé est perdu à jamais. Les collines font naître ainsi chez Éveline le sentiment d'une perte ontologique, sentiment intensifié par le départ imminent de sa «petite dernière», Christine. De son côté, celle-ci veut s'aventurer seule dans la vie, laissant derrière elle un passé qui ne lui offre que la continuité du connu, une sécurité où elle risque de s'endormir sans jamais développer ses talents. Assoiffée d'inconnu, Christine voit miroiter dans les collines le temps souhaité de l'avenir. C'est ainsi que les collines, reflétant tour à tour le passé, le présent et le futur, revêtent un aspect éternel, tout comme le lac Winnipeg que contemplaient le vieillard et l'enfant.

Les collines de la route d'Altamont deviennent aussi symboliques sur le plan de l'espace. Éveline regarde à peine le paysage qui l'avait ravie lors des deux voyages précédents. Mais sa déception provient moins de la réalité extérieure que de son état d'âme. Auparavant, elle avait pu se persuader que ces collines étaient celles du Québec et de sa jeunesse. À présent, vieille et fatiguée, elle se voit obligée de reconnaître qu'elle est trop âgée pour recommencer le voyage de la vie... le paysage de l'enfance ne peut surgir dans la plaine manitobaine. C'est pourquoi les collines qui s'offrent à ses yeux ne sont que celles du Manitoba. Contemplant cette même réalité objective, Christine ne se sent plus émerveillée comme autrefois. Mesurées avec la plaine, les collines d'Altamont avaient été impressionnantes; mesurées avec les Alpes ou les Pyrénées qu'elle voit déjà en imagination, les petites collines du Manitoba manquent de relief. Dès lors, Christine se délivre du Manitoba pour s'élancer dans le grand univers.

Les collines se révèlent donc comme un symbole subjectif autant et même plus qu'une réalité objective. Le paysage extérieur se transforme pour faire partie intégrante du paysage intérieur. Ce paysage symbolique, loin d'être simple, est bipolaire sur le plan des deux personnages; bipolaire aussi en ce qui concerne le temps et l'espace. La route qui passe par Altamont est en effet une route spirituelle; le voyage de Christine et de sa mère se révèle comme une expérience mystique qui, par un seul et même mouvement, ramène la mère en pèlerinage vers sa jeunesse et projette Christine vers son avenir.

Et malgré l'attrait passager que les collines avaient exercé sur celle-ci, son avenir est symbolisé par les grands espaces libres de la plaine. Alors que les collines cachent le panorama, la plaine, qui s'étend à perte de vue, rejoint l'horizon :

> ... cet horizon sans cesse appelant, sans cesse se

> dérobant, c'est peut-être le symbole, l'image dans nos vies de l'idéal, ou encore de l'avenir nous apparaissant, quand nous sommes jeunes, généreux de promesses qui se renouvelleront et ne tariront jamais (*FL* p. 146).

Fusion entre terre et air, ou encore entre mer et air, l'horizon sans bornes reflète l'infini. C'est l'invitation au voyage et à la découverte. Petite, Christine a voulu savoir ce qu'il y a de l'autre côté du lac; devenue adulte, elle est prête à partir au-delà de l'horizon. Toutefois, c'est un voyage qu'elle entreprend non sans angoisse, puisqu'il doit commencer par la séparation entre elle et sa mère. Les grands départs sont d'autant plus angoissants que l'on part sur des chemins inconnus vers des lendemains incertains. Parfois aussi ces voyages sont sans retour, comme le pressentait déjà la petite fille au bord du lac, qui a demandé : «Là-bas, là-bas, est-ce la fin ou le commencement?» (*RdA* p. 121). Face aux espaces illimités et à l'horizon trop reculé, on risque de ressentir avec angoisse la fragilité de l'être humain.

Conclusion

C'est donc à l'aide d'images très complexes que Gabrielle Roy a su créer l'univers symbolique qui enrichit son oeuvre. Et grâce au procédé qui consiste à relier certaines images les unes aux autres, cet univers est d'une cohérence remarquable. L'eau, source de toute vie et symbole de l'unité foncière du monde, est assimilée par l'auteure à la plaine; les deux constituent les éléments fondamentaux d'une fresque sur laquelle d'autres symboles sont dessinés : l'arbre et l'oiseau, les collines, l'horizon. Comme nous l'avons vu, ces symboles sont personnels autant qu'universels, puisant leur description réaliste dans l'expérience vécue de l'auteure et en même temps rejoignant la symbolique générale. Ils donnent aux êtres et aux choses les plus ordinaires un relief extraordinaire. Ils peignent le caractère ou la conduite d'un personnage; ils illustrent un thème philosophique; ils invitent à la réflexion morale.

Il est incontestable que l'inspiration de Gabrielle Roy jaillit de ses premières appréhensions du monde naturel. À l'origine de la symbolique de la romancière se trouvent ses puissants souvenirs de l'époque manitobaine :

> Mes amours d'enfance, c'est le ciel silencieux de la plaine s'ajustant à la douce terre rase aussi parfaitement que le couvercle sur le plat entier, ciel qui pourrait enfermer, mais qui, au contraire, par la hauteur du dôme, invite à s'élancer, à se délivrer; c'est la silhouette particulière, en deux pans, de nos silos à céréales, leur ombre bleue découpée sur un ciel brouillé de chaleur, seule, par les jours d'été, à signaler au loin les villages de l'immensité plate; ce sont les mirages de ces journées torrides où la sécheresse de la route et des champs fait apparaître à l'horizon de miroitantes pièces d'eau qui tremblent à ras de terre. Ce sont les petits groupes d'arbres, les *bluffs* assemblés comme pour causer dans le désert du monde, et puis c'est la variété humaine à l'infini (*FL* pp. 156-157).

Encore faut-il ajouter que l'auteure a su rendre

au Manitoba quelques-uns de ces paysages, embellis par sa vision d'artiste et enrichis par sa philosophie de l'existence.

Chapitre 6

La création romanesque

Ce n'est pas impunément qu'on retourne aux endroits qui nous ont vus jeunes...

L'ensemble des techniques littéraires et du symbolisme que nous avons dégagés permet de saisir dans une certaine mesure la manière dont l'auteure a su transformer la réalité vécue en fiction. Certes, les rapports entre la vie et l'oeuvre vont bien au-delà d'une simple relation de cause à effet, pour amener une véritable transfiguration du vécu en art. De plus, le retour aux paysages de l'enfance résulte d'autant moins dans une identité parfaite entre le réel et le récit que la mémoire – filtre tout affectif – est appelée à jouer un rôle significatif. Le temps aussi intervient dans la recréation du passé, amenant ses propres altérations, telles que des trous de mémoire ou des changements de relief. C'est ce que l'écrivaine appelle «cette bizarre alchimie du temps, cette transformation de nos souvenirs que lui seul réussit à accomplir» (*RD* p. 195). Et ce temps subjectif est susceptible de changer la face objective de la réalité. Il en résulte parfois une «reconstruction sélective[1]» du passé, tout imprégnée d'affectivité.

Mémoire et création

À plusieurs reprises, l'auteure nous renseigne elle-même sur ce traitement littéraire de l'expérience vécue. Il s'agit d'abord du texte *Mémoire et création*, préface écrite pour une édition scolaire de *La Petite Poule d'eau* et publiée en 1956[2]. Selon l'auteure, le souvenir de cette région isolée du Manitoba, où elle avait enseigné en été 1937, surgit à l'insolite dix ans plus tard pendant une visite à Chartres; une deuxième expérience, cette fois en Angleterre, lui révèle les gens qu'elle aurait aimé retrouver là-bas. Plus tard, elle précisera dans *La détresse et l'enchantement* qu'elle mêle à ses souvenirs de cette région d'autres souvenirs qu'elle gardait d'un été précédent passé chez sa cousine à Camperville, au bord du lac Winnipegosis. Et elle ajoute :

> En quittant la Petite-Poule-d'Eau, à la toute fin du mois d'août, je possédais pourtant à mon insu, les uns pris à Camperville, d'autres en ce lieu même,

---

[1] L'expression est d'Agnès Whitfield, dans *Gabrielle Roy et Gérard Bessette : quand l'écriture rencontre la mémoire*, dans *Voix et images*, vol. 9, n° 3, printemps 1984, pp. 129 à 141.

[2] *La Petite Poule d'eau*, Toronto, Clarke, Irwin & Co., 1956 et Londres, George S. Harrap & Co., 1957; repris à Paris par les Éditions du Burin et Martinsart, 1967, collection «Les Portes de la vie». Le texte de cette Préface est reproduit dans *FL*, pp. 191 à 197.

presque tous les matériaux nécessaires au roman que je commencerais à écrire en 1948 seulement, sauf, bien entendu, la couleur, le genre de vie que je mènerais d'ici là et qui apporteraient leur tonalité à l'oeuvre (*DE* p. 229).

Ce même mélange du réel et du fictif est le processus créateur qu'elle décrit dans une lettre du 20 janvier 1963, écrite à sa soeur Bernadette. Elle confie à cette dernière, au sujet de sa nouvelle *Sister Finance*[3], qu'une certaine Soeur M.G. lui avait servi comme point de départ. «Par ailleurs», continue-t-elle, «cette histoire que je raconte est presque entièrement inventée. Mais cela est inventé pour exprimer le vrai mieux encore que ne le fait la réalité» (*LB* pp. 70-71).

En effet, si dans son premier roman *Bonheur d'occasion* elle s'était appliquée «par souci de réalisme» (*DE* p. 112) à décrire fidèlement les éléments de la réalité, cette technique devait par la suite se modifier :

> Il me faut dissocier les éléments, les rassembler, en écarter, ajouter, délaisser, inventer peut-être, jeu par lequel j'arrive parfois à faire passer le ton le plus vrai, qui n'est dans aucun détail précis ni même dans l'ensemble, mais quelque part dans le bizarre assemblage, presque aussi insaisissable lui-même que l'insaisissable essentiel auquel je donne la chasse (*DE* pp. 111-112).

---

[3] Parue initialement en anglais dans le *Maclean's Magazine* du 15 décembre 1962, cette nouvelle sera reprise en français en août 1963 sous le titre *Ma cousine économe* dans le *Magazine Maclean*.

Gabrielle Roy est donc pleinement consciente de la transformation de la réalité vécue qu'elle accomplit grâce à ces «jeux de l'imagination[4]». De ce fait, les éléments autobiographiques ne constitueraient qu'un simple point de départ de l'oeuvre fictive. C'est ce qu'elle explique en réponse à des élèves manitobains, qui voulaient en savoir davantage sur *Ces enfants de ma vie*. Elle leur avoue que si certains souvenirs fragmentés avaient donné lieu au portrait de Médéric, d'autres composantes avaient aussi contribué à l'écriture du récit :

> Quant à Médéric... Je me rappelle un garçon plus grand que moi, très rétif au début de l'année et dont j'ai gagné petit à petit la confiance... peut-être même plus que la confiance. Je me rappelle un bouquet de fleurs sauvages qui me fut lancé par la fenêtre d'un train comme j'allais partir... Unis à d'autres éléments pris ailleurs ça et là, au cours de ma vie, à d'autres encore que j'ai sans doute inventés, ces deux souvenirs ont donné Médéric... Mais, ne l'oubliez pas, la plus grande part de sa création échappe à l'auteur lui-même. Et il faut qu'il en soit ainsi : autrement il n'accomplirait rien qui soit en quelque sorte unique[5].

Pour ce qui est d'un deuxième texte de *Ces enfants de ma vie*, *L'enfant de Noël*, il est possible d'en

---

[4] Voir l'avis aux lecteurs, *Rue Deschambault* : «Certaines circonstances de ce récit ont été prises dans la réalité; mais les personnages, et presque tout ce qui leur arrive sont jeux de l'imagination».

[5] Lettre du 15 février 1980, adressée à monsieur Antoine Gaborieau et à ses élèves, et publiée dans les *Cahiers franco-canadiens de l'Ouest*, numéro spécial intitulé *Gabrielle Roy : voies nouvelles*, vol. 3, n° 1, printemps 1991, p. 141.

voir la genèse dans un reportage que l'auteure publia dès 1942 dans le *Bulletin des Agriculteurs*[6]. Mademoiselle Estelle, l'institutrice dont Gabrielle Roy fait le portrait élogieux dans le reportage, intitulé *Pitié pour les institutrices*, semble préfigurer l'institutrice-narratrice :

> Mlle Estelle... faisait une crèche dans sa classe à Noël, et sur son maigre revenu réussissait à prélever quelques dollars pour un petit cadeau à chacun de ses élèves. Parfois ceux-ci lui apportaient une petite chose fabriquée à la maison. Il y avait parmi eux de très malheureux, car ils n'avaient rien à lui offrir. Alors, elle les consolait, disant qu'elle avait déjà trop de cadeaux[7].

Ne sommes-nous pas, selon toute évidence, en présence, à l'état embryonnaire, de l'histoire de Clair, l'enfant aux mains vides? Il est indiscutable que des ressemblances frappantes existent entre le reportage et le texte narratif, puisque les deux mettent en scène une maîtresse perspicace, pleine d'une bonté sensible et attentive aux besoins des enfants confiés à sa garde. Comme mademoiselle Estelle, la maîtresse de Clair donne un petit cadeau de Noël à chacun de ses élèves et reçoit d'eux une petite chose fabriquée à la maison – dans le texte narratif, des pantoufles ou des fleurs en papier. Et Clair, un enfant plus que pauvre,

---

[6] *Pitié pour les institutrices!* dans *Bulletin des Agriculteurs*, vol. 37, n° 3, 1942, pp. 7, 45 et 46. Sur le rapport entre cet article et *L'enfant de Noël*, voir mon article *Gabrielle Roy, institutrice : reportage et texte narratif*, dans *Gabrielle Roy : voies nouvelles*, pp. 31-42. Certaines parties du présent chapitre sont tirées de cet article.

[7] *Pitié pour les institutrices!*, p. 46.

abandonné par son père et élevé de peine et de misère par sa mère seule, serait un de ces enfants malheureux qui n'ont rien à offrir à la maîtresse. De telles ressemblances sur le plan événementiel nous incitent à croire que l'article de journal peut être considéré comme le pré-texte de la nouvelle.

Dans ce cas, c'est en exploitant le dynamisme latent du reportage que l'auteure en fait éclater les structures statiques pour élaborer le texte narratif. Il faut tenir compte, bien sûr, des nombreux changements qui s'imposent pour effectuer la transition du reportage au texte narratif. Alors que le premier fait état des conditions de vie et d'emploi de l'institutrice dans le Nord-Ouest québécois, tels que sa formation lacunaire, le travail excessif et le salaire insuffisant, le deuxième focalise sur les enfants du Manitoba pendant la crise économique des années trente. Mais il n'en reste pas moins vrai que les deux textes se nourrissent de l'expérience personnelle de l'auteure. N'avait-elle pas raconté, comme mademoiselle Estelle, «de belles histoires de fées, des légendes dorées, aux petits des familles pauvres[8]»? Le drame de l'institutrice, forcée de gagner sa vie dans des conditions souvent pénibles, et la pauvreté des enfants, sont des situations que Roy connaissait pour en avoir fait l'expérience.

Bien que les souvenirs de l'auteure soient transposés sur un mode littéraire, ils restent donc ancrés

---

[8] *Ibid.*, p. 45.

dans la réalité. Le témoignage d'un des anciens élèves de Gabrielle Roy vient confirmer certains détails réels de ce récit. D'ailleurs, l'auteure n'a même pas changé le nom de cet élève : il s'agit de Tony Tascona, qui lui aurait offert comme cadeau de Noël une belle pomme ronde – mais non sans y avoir goûté (*CV* pp. 31-32)! Devenu aujourd'hui artiste, il est fier d'avoir été l'élève de Gabrielle Roy. «Elle était très belle et très généreuse, affirme-t-il. Elle faisait tout son possible pour aider les enfants pauvres de l'école. Elle a dû dépenser la moitié de son salaire à les aider[9]». On est ainsi amené à constater que l'auteure a investi l'institutrice de *Ces enfants de ma vie* – et, avant elle, mademoiselle Estelle – de quelques-unes de ses propres expériences d'institutrice au Manitoba.

Toujours est-il que la tentative de transposer le vécu en fiction est une entreprise des plus hasardeuses. L'évocation de ses années d'enseignement engage le moi de l'auteure, met en jeu son amour-propre et suscite inévitablement des émotions depuis

[9] Propos de Tony Tascona, dans une entrevue avec Carol J. Harvey, le 18 décembre 1990. Il y a quelques années, l'artiste s'est mis en rapport avec son ancienne maîtresse d'école pour l'inviter à une exposition de ses tableaux à Montréal. La réponse de Gabrielle Roy (le 20 avril 1963) témoigne de l'intérêt qu'elle n'a jamais cessé de porter aux «enfants de sa vie». Le texte intégral de cette lettre est reproduite en annexe à mon article *Gabrielle Roy, institutrice : reportage et texte narratif*, p. 42. Nous en reproduisons ici le premier paragraphe :

It was most thoughtfut of you to send me an invitation to your show in Montreal – how proud I am indeed of my former pupil whom I remember specially well for you were – in those days, already – quite an exceptional little fellow and I could relate amusing anecdotes about your former self, around the age of six, which you yourself may have forgotten.

longtemps oubliées. Et *Rue Deschambault* et *La route d'Altamont* se révèlent tout aussi problématiques puisque l'auteure retourne à la source, pour ainsi dire : sa propre enfance, la vie familiale, les êtres et les endroits auxquels elle était si attachée. Rien de plus significatif alors que ces trois oeuvres dans lesquelles elle se met elle-même en scène et se livre au regard du lecteur à travers des fragments remémorés de sa vie.

La narratrice, porte-parole de l'auteure

Par quels moyens Gabrielle Roy ressuscite-t-elle le passé? Comment la romancière se sert-elle du cadre de son enfance pour recréer événements, sensations ou sentiments du passé? Et – question d'un intérêt capital – quel est le statut du «je»? Dans quelle mesure le personnage de Christine représente-t-il l'auteure? Certes, dans *Rue Deschambault*, cette dernière n'intervient pas souvent dans les récits de l'enfance de Christine. Elle laisse à la petite fille la tâche de se raconter et au lecteur la responsabilité de l'interpréter. Christine est à tour de rôle heureuse ou malheureuse, ingénue, surprise, déçue, curieuse ou rêveuse... C'est à travers ses réactions spontanées que le lecteur saisit le message de l'auteure sur les qualités et les défauts des adultes, par exemple, ou sur la condition sociale de la femme. Bref, en gardant ses distances, l'auteure crée un personnage distinct d'elle-même.

Comme nous l'avons vu, ce personnage fictif est

lui-même double, puisqu'il s'agit de la narratrice adulte qui se penche sur son passé. Et il arrive au personnage adulte de s'interroger sur ses souvenirs. C'est ainsi que la naïveté prêtée à l'enfant donne lieu à un ton volontiers ironique. «Est-ce à ce moment, ou un peu plus tard, et parce qu'il ne nous faisait aucun tort que nous nous sommes mis tous ensemble à aimer l'Italien?» (*RD* p. 209), se demande Christine, la narratrice adulte, qui vient de raconter comment le petit bungalow que le voisin italien construisait pendant son enfance ne cacherait pas «notre vue, notre soleil». L'ironie perce aussi dans sa description du jardin de la tante Thérésina Veilleux en Californie, dont Christine convient «qu'il était un bel aperçu de ce que Dieu a pu créer lorsqu'il entrait dans ses vues de réjouir le regard des hommes» (*RD* p. 200). C'est à travers cette narratrice double – Christine adulte et enfant – que l'auteure souligne son indépendance par rapport au personnage qu'elle a su créer.

Toujours est-il que le décalage entre enfant et adulte se fait moins remarquer dans *La route d'Altamont*[10], où la narratrice focalise sur elle-même plutôt que sur autrui. Par occasions, passé et présent tendent à se rejoindre, et si la signification des événements vécus échappe à la compréhension de la fillette, la narratrice adulte intervient pour les interpréter à sa place. Ce pouvoir d'interprétation

[10] Voir mon article sur *Structure et techniques narratives dans* La route d'Altamont, d'où sont tirées certaines parties de cette section.

vient compléter les dons d'observation de Christine enfant. Et aux accents candides et spontanés de celle-ci s'ajoute la voix grave et réfléchie de l'adulte qu'elle est devenue. Pour Christine, âgée de six ans, sa grand-mère était la «grande vieille» (*RdA* p. 9), tellement passionnée d'ordre, de propreté et de discipline que la fillette en avait peur; elle était convaincue d'avance qu'elle allait s'ennuyer chez elle. Mais, arrivée à l'âge adulte, Christine est amenée à comprendre que mémère était une «pauvre chère vieille» et elle affirme alors que «[c]'était elle, malgré sa superbe, qui s'ennuyait» (*RdA* p. 11).

Dans *La route d'Altamont*, Gabrielle Roy fait donc revivre le passé illuminé par le regard du présent. La perspective de l'adulte arrive à compléter le point de vue de l'enfant, pour corriger une impression, présenter une justification ou fournir une explication. La narratrice adulte donne la main, pour ainsi dire, à l'enfant qu'elle était autrefois. Prenons le cas de Christine à huit ans, avide de découvrir pour elle-même le lac Winnipeg. Au niveau événementiel, Christine enfant ne pense à sa mère que pour lui arracher la permission de s'y rendre. Mais ce fragment remémoré devient l'occasion pour la narratrice adulte d'ajouter un commentaire rétrospectif :

> Ma pauvre mère! Avais-je seulement jusqu'alors pensé qu'elle non plus n'avait jamais vu le grand lac Winnipeg, pas si éloigné pourtant de notre ville; mais, asservie à nos besoins, quand, comment aurait-elle pu vivre un jour au moins selon les désirs toujours avides de son âme... (*RdA* p. 94).

Dans cet épisode on voit se dessiner une perspective narrative qui englobe anecdote et analyse, temps passé et présent, Christine actrice et témoin des événements. Il s'agit donc de ce discours double que nous avons déjà identifié (voir le chapitre 4) et qui permet à l'auteure de commander l'interprétation de son récit. Comme nous l'avons vu, l'intervention de la narratrice adulte dans le monde du souvenir est souvent signalée d'une manière précise. En se servant d'indices temporels tels que «plus tard», «je ne savais pas alors que», «aujourd'hui encore», Gabrielle Roy marque l'écart entre l'enfant et l'adulte. Mais dans d'autres circonstances la transition du passé au présent se fait à peine sentir. Évoquant cette journée passée au bord du lac Winnipeg, Christine médite :

> J'avais eu beau me préparer, tout dépassait mon attente, ce grand ciel mi-nuageux, mi-ensoleillé, cet incroyable croissant de plage, l'eau surtout, son étendue sans bornes... Je n'en revenais pas. En suis-je jamais revenue au reste? Et revient-on jamais, au fond, d'un grand lac? (*RdA* pp. 116-117).

Ici le «moi-enfant» tend à se confondre avec le «moi-adulte» et seuls les temps verbaux différents permettent de saisir le changement de focalisation et la différence entre souvenir (imparfait) et réflexion (passé composé et présent).

En effet, plus l'auteure médite sur la signification des événements passés, moins elle marque le décalage temporel, si bien que les limites entre le vécu et le narré se brouillent. L'enfance est fréquemment replacée dans le contexte de la vie adulte; le regard rétrospectif ramène la narratrice constamment au présent. Et ces glissements temporels, joints à la focalisation changeante, expliquent comment l'auteure se sert de sa narratrice pour véhiculer son propre message. Laissant derrière elle la représentation mimétique du réel et le dialogue réaliste, l'auteure s'oriente de plus en plus vers une description symbolique. Celle-ci sert de cadre à l'interrogatoire philosophique auquel se livre Christine. Désormais, cette dernière devient le porte-parole de l'auteure.

Regard sur le passé

Le temps et la mémoire jouent d'autres rôles dans le passage du réel au fictif. Au fil des ans, la réalité vécue tend à s'effacer; si certains détails persistent et peuvent même se préciser, d'autres s'estompent dans la brume de la mémoire. Le déroulement du temps réel ou chronologique se laisse peu à peu remplacer par un ordre temporel psychologique, commandé par la subjectivité. La réalité extérieure cède alors la place à la réalité intérieure, à résonances psychologiques et philosophiques, les éléments objectifs du réel étant perçus à travers le filtre affectif du moi.

Pour ce qui est de la création romanesque de Gabrielle Roy, celle-ci repose sur une interprétation subjective du passé, souvent recréé, comme nous l'avons vu, à l'aide d'une écriture riche en figures de style et en symboles. Cette écriture traduit une vue toute personnelle de la réalité extérieure. Les objets inanimés s'animent, se transforment d'objets passifs de signification en sujets actifs de narration. Grâce à la comparaison ou la métaphore, les éléments topographiques deviennent des symboles complexes dans un espace romanesque où l'interrelation entre paysage et personnage est lourde de signification. Décrit de façon symbolique, le paysage est souvent coloré non par le soleil du printemps ou par les tons embrasés de l'automne, mais par les sentiments des personnages. C'est pourquoi aucun des trois voyages apparemment identiques que font Christine et Éveline ne ressemble aux autres. Au-delà de la fonction mimétique du paysage, la route qui passe par Altamont est l'expression d'une expérience intérieure, reflétant les relations changeantes – tantôt harmonieuses, tantôt conflictuelles – entre mère et fille.

D'ailleurs, plus l'auteure est elle-même émue, moins elle semble objective. Les dernières nouvelles de *Ces enfants de ma vie* baignent entièrement dans une ambiance de rêve créée à partir de souvenirs tout imprégnés d'affectivité. Le petit monde clos de l'institutrice échappe à l'espace géographique que la narratrice indique, si bien que tout semble se dérouler dans un espace romanesque inconnu, à une époque intemporelle. Nous avons déjà noté que la progression narrative de ce recueil s'effectue à rebours par rapport à la chronologie réelle de la vie de l'auteure. Or, un tel renversement signale clairement qu'il est question du temps psychologique, qui impose aux événements recréés sa propre perspective. En effet, cette remontée dans le temps donne lieu à des fragments narratifs progressivement plus longs et d'une signification plus profonde; en même temps le drame humain abordé devient plus complexe pour la maîtresse aussi bien que pour l'élève qui partage avec elle la scène.

Dans ce même recueil, le rapport entre narratrice actuelle et narratrice révolue, entre spectatrice et actrice semblerait être précisé dès la phrase d'ouverture : «En repassant, comme il m'arrive souvent, ces temps-ci, par mes années de jeune institutrice, dans une école de garçons, en ville, je revis, toujours aussi chargé d'émotions, le matin de la rentrée» (*CV* p. 7). Par ailleurs, la narratrice fictive n'est jamais nommée. Personne ne prononce le nom de Christine, ni maman, qui figure dans *L'enfant de Noël* et *L'alouette,* ni les autres institutrices qui, elles, sont nommées. Cet anonymat du personnage principal qui, selon les indices intertextuels que nous avons identifiés plus haut (p. 139), est bel et bien Christine, constitue une des marques qui encouragent le lecteur à faire de cette oeuvre une lecture strictement autobiographique. Puisque l'auteure n'interroge plus son passé par personne interposée mais de façon directe, l'écrivaine se laisse plus facilement identifier avec son personnage.

En même temps, elle brouille les points de repère temporels. Alors que les expressions qui signalent le passage du passé au présent ou inversement se font rares, les modifications de perspective sont marquées par l'emploi fréquent du passé composé – technique utilisée déjà dans *La route d'Altamont*. La fusion du «moi révolu» et du «moi racontant» est ainsi reflétée par un jeu de temps verbaux. Comme le souligne Agnès Whitfield, dans son étude approfondie des rapports entre la mémoire et l'écriture dans *Ces enfants de ma vie* : «Le passé composé, temps relié au présent de la narration, véhicule alors des actions passées, racontées auparavant exclusivement au passé défini. En même temps, les émotions et surtout les observations du moi révolu sont présentées de plus en plus au présent, partagées ainsi par la narratrice[11]».

Face à la sexualité

Or, du point de vue de l'institutrice débutante, quelles sont les émotions qui colorent à ce point les nouvelles de *Ces enfants de ma vie*? Le drame humain qui inspire chacune engage de plus en plus son moi. Dans les deux premiers récits, de quelques pages seulement, il s'agit de gagner la confiance de Vincento et de faire comprendre à Clair que la valeur d'un individu ne se mesure pas au prix d'un cadeau. Toutefois, à travers l'histoire de Nil, l'institutrice apprend qu'il ne faut pas se couvrir de gloire au détriment de l'enfant; il faut plutôt découvrir le talent de chaque élève pour que celui-ci s'épanouisse, comme il arrive au petit Demetrioff. Cependant, dans *La maison*

[11] *art. cit.*, p. 131.

gardée, l'institutrice devra accepter son impuissance à développer le potentiel d'un élève, les circonstances extérieures étant trop défavorables. Mais c'est dans le dernier récit que les émotions sont les plus intenses, car il s'agit de l'amour mal avoué que l'institutrice de dix-huit ans éprouve pour son plus grand élève, à peine plus jeune qu'elle.

Pourtant, l'image de la sexualité est bien rare dans l'univers romanesque de Gabrielle Roy, où la pudeur semble dicter que tout instinct sexuel soit sublimé ou étouffé. Comme nous l'avons observé précédemment, ce récit *De la truite dans l'eau glacée* est, lui aussi, caractérisé par la discrétion et voilé de silences pudiques et de symboles[12]. Toutefois, les nombreuses scènes où la maîtresse d'école est seule avec son élève dans la salle de classe déserte ou pendant la journée passée à Babcock laissent voir l'attrait grandissant entre élève et institutrice. Et certaines scènes intimes sont décidément érotiques : le moment où, assis tous deux au pupitre de Médéric, leurs genoux se frôlent (*CV* p. 141); ou encore l'aperçu des deux jeunes gens «à genoux dans l'herbe au bord de la source, les deux mains dans l'eau» (*CV* p. 160); on pense aussi au visage de Médéric reflété

---

[12] On ne saurait néanmoins partager l'opinion d'André Brochu, selon qui «on peut lire dans Babcock les mots *baby* et c..., le dernier terme appartenant à une certaine langue spéciale» (voir *Ces enfants de ma vie, art. cit.*, p. 43). En fait, Babcock n'est pas un nom symbolique que l'auteure aurait inventé. C'est le nom d'un lieu géographique, provenant du nom de famille du président de la Commercial Cement Company établie à cet endroit. Les collines de Babcock sont les seules qui se trouvent à proximité du village de Cardinal, cadre spatial du récit.

avec celui de la maîtresse dans la lanterne de la berline (*CV* p. 183).

N'empêche que ces images d'amour sexuel sont repoussées comme d'autres. Il est vrai que Gabrielle Roy raconte une époque où le silence se faisait autour de la sexualité, à plus forte raison autour de la sexualité féminine. La femme était appelée à se conformer au code de la bienséance; elle cachait son corps de la tête aux pieds; une femme «bien» se devait de ne pas sortir seule, d'éviter de mauvaises fréquentations et de se garder chaste. Et ces attitudes sociales envers la femme règnent au village de Médéric, où la bienséance est incarnée dans le petit sourire crispé de la logeuse. Rentrés tard de leur promenade dans les collines de Babcock, institutrice et élève se sont laissés exposer à l'opprobre des gens au point où l'institutrice croit sentir les regards sévères qui les épient de chaque maison «où on avait retardé d'allumer pour mieux [les] distinguer dans la pénombre bleu nuit» (*CV* p. 162).

Il s'ensuit que la sexualité n'était acceptable que dans le cadre du mariage, – qui, à l'époque de l'auteure, représentait à bien des égards un choix définitif. Finie la carrière, puisqu'une femme mariée n'avait plus le droit d'exercer ses fonctions d'institutrice. Finies aussi les aspirations de voyage, auxquelles mettraient fin inévitablement les multiples grossesses et maternités. Bref, une femme qui voulait briser le cycle de la condition féminine ne pouvait que se méfier de l'amour et du mariage.

Il est vraisemblable que Gabrielle Roy ait transposé sur un mode fictif la réalité sociale de son époque, réalité à laquelle elle a dû elle-même faire face. Mais, à un niveau plus profond, la fiction ne traduirait-elle pas la honte que ressentait l'auteure devant sa propre sexualité? Elle nous fait part de certains sentiments dans *La détresse et l'enchantement*, où elle évoque le soir où sa mère lui avait parlé des «mystères de la vie» – expression d'époque, s'il en fût :

> Et c'était par un de ces doux soirs d'été que maman, comme j'étais devenue «grande fille» selon son expression, avait choisi de m'éclairer sur les réalités – mais ne disait-elle pas plutôt, ce qui était bien plus approprié : les mystères de la vie. Elle s'y était en tout cas si mal prise que je n'avais presque rien compris sinon que d'être femme était humiliant à vouloir en mourir. Il ne faut pas trop blâmer les femmes de ce temps-là d'avoir si mal su parler du corps et de l'amour; elles étaient retenues par la gêne et aussi de la pitié envers leurs petites filles, pensant bien faire en les laissant le plus longtemps possible ignorantes de ce qui les attendait (*DE* p. 239).

Humiliation, gêne, pitié : l'expérience de l'auteure lui apprend que l'espace féminin est dominé par ces sentiments et d'autres tout aussi négatifs. Non seulement la femme doit accepter le mépris que l'homme exprime à l'égard du corps féminin, encore perçoit-elle avec répugnance sa propre féminité. Pour une femme qui se veut indépendante – réelle ou fictive, Gabrielle ou Christine, la circonspection s'impose dans tout ce qui a trait à la sexualité.

Dans cette longue nouvelle encore plus que dans les précédentes, il est évident que la narration constitue un aveu qui expose la vulnérabilité de la jeune Gabrielle et son inexpérience. Et l'image troublante de la sexualité, remontée à la surface, rappelle les interdits sociaux et les conflits personnels du passé. Si, en général, les récits font naître des souvenirs positifs de bonheur et de réussite, des sentiments négatifs tels que l'insécurité, le malaise ou l'humiliation sont aussi susceptibles de resurgir. Il convient de souligner que la recherche du passé ne débouche pas obligatoirement sur le bonheur[13].

Mémoire et sentiments

La recréation presque compulsive que l'écrivaine entreprend du monde du souvenir peut donc mener à un dilemme : faut-il accepter son passé ou le refuser? L'auteure devrait-elle s'identifier à l'institutrice en acceptant tous ses souvenirs, tant malheureux qu'heureux, ou devrait-elle se distancer de son personnage? Encore pourrait-elle refouler ses souvenirs embarrassants et inventer pour son personnage d'autres émotions. Il est évidemment plus facile d'accepter les événements agréables que les souvenirs désagréables. On raconte avec plaisir ses succès – comme, par exemple, le poste recherché en ville

[13] Pour François Ricard, *Rue Deschambault* constituerait «une oeuvre de réconciliation, récapitulant au passé et dans la paix son aventure... un rassemblement de soi-même qui débouche sur le repos» (*Gabrielle Roy*, p. 101).

auquel Gabrielle Roy est nommée, comme l'institutrice de *Ces enfants de ma vie*, au bout d'une seule année dans une école de campagne – alors qu'on a tendance à étouffer ses souvenirs humiliants, tel le souvenir du regard désapprobateur du village qui suit l'institutrice et Médéric. De même, il est plus aisé d'assumer ses souvenirs du petit Clair que de se reconnaître responsable de la scène à l'asile après le concert de Nil. L'amour-propre ou l'instinct de conservation ne sont-ils pas tout aussi capables de fausser la réalité que le sont les «jeux de l'imagination» volontaires, d'ordre esthétique? Cette dimension imaginaire dont la réalité est investie par l'auteure ne serait-elle pas conçue pour lui permettre d'accepter la détresse qui naît des mauvais souvenirs? Certes, le traitement littéraire de la réalité remémorée sous la forme d'une rétrospective suscite presque inévitablement des altérations. Christine le fait remarquer à propos du voyage qui avait conduit ses ancêtres du Québec au Manitoba, ce voyage que sa mère se plaît à raconter :

> Ce vieux thème de l'arrivée des grands-parents dans l'Ouest, ç'avait donc été pour ma mère une sorte de canevas où elle avait travaillé toute sa vie comme on travaille à une tapisserie, nouant des fils, illustrant tel destin. En sorte que l'histoire varia, grandit et se compliqua à mesure que la conteuse prenait de l'âge et du recul. Maintenant, quand ma mère la racontait encore, je reconnaissais à peine la belle histoire de jadis qui avait enchanté mon enfance; les personnages étaient les mêmes, la route était la même, et cependant plus rien n'était comme autrefois (*RdA* p. 214).

Exorcisme littéraire

Mais la transformation inconsciente des souvenirs qui passent par le filtre affectif de la mémoire est bien différente de la modification volontaire de ces mêmes souvenirs. Cette distinction est d'autant plus importante que l'auteure nous a incités – qu'elle le veuille ou non – à faire des trois oeuvres en question une lecture autobiographique. Comme le constate André Belleau :

> En principe, dire à la première personne que jadis on espérait devenir écrivain n'implique nullement qu'on le soit devenu. Mais le dire de façon littéraire confère à la fiction un statut ambigu puisque, par ce fait, le projet ancien se voit *réalisé*...[14]

Cette différence met en cause le but même de l'opération créatrice chez Gabrielle Roy : quête de la vérité ou fiction pure et simple? Pour certains, il s'agirait bien de la quête de la vérité personnelle mais cette quête entraînerait obligatoirement des modifications à la réalité. M.G. Hesse dira donc :

> Les souvenirs ne nous viennent pas dans un ordre rationnel. Dans leur recréation artistique, cependant, ou leur représentation, un certain ordre, un certain rythme s'imposent. Tout comme le romancier tire l'ordre du chaos, Christine (l'image romancée de Gabrielle Roy) tente d'élucider le sens de sa vie et d'en comprendre l'ordre[15].

---

[14] André Belleau, *Le romancier fictif*, p. 40.

[15] M.G. Hesse, *op. cit.*, pp. 92-93.

Hesse cite François Ricard, selon qui la recherche du temps perdu serait pour Gabrielle Roy «surtout recueillement et quête de soi[16]».

Cette optique présente l'avantage de rationaliser les altérations que subit éventuellement la réalité. Mais une telle justification ne suffit pas à expliquer complètement les motivations qui ont poussé la romancière à choisir certains événements, à passer d'autres sous silence ou à broder sur la réalité. Il n'est pas exclu qu'en démêlant le «chassé-croisé» du vécu[17], Roy ait voulu combler les trous de mémoire, les oublis volontaires ou involontaires, par une restructuration du passé. Mais pour quelles raisons? Si pour certains la création romanesque proviendrait de la quête de soi, pour d'autres l'acte créateur découlerait d'un sentiment de culpabilité. L'exorcisme par et à travers la littérature consisterait alors à réparer le tort fait à autrui ou à soi-même, ce que Janine Chassegut-Smirgel appelle respectivement la réparation de l'objet ou du sujet[18].

Prenons à titre d'indice un épisode puisé dans la vie de la famille Roy. L'écrivaine fait référence plus d'une fois à la mort à quatre ans de Marie-Agnès, sa soeur aînée (*DE* pp. 94, 143, 237). Elle témoigne d'ailleurs d'une vive sympathie à l'égard de sa mère

---

[16] *Ibid.*, p. 56.

[17] Cp. Gabrielle Roy, «Quel chassé-croisé que ce chemin de la mémoire!» (*DE* p. 171).

[18] *Pour une psychanalyse de l'art et de la créativité*, Paris, Petite Bibliothèque Payot, 1971, p. 90. Cité par Agnès Whitfield, *art. cit.*, pp. 139-140.

«qui avait vu brûler vive sous ses yeux son adorable petite fille, Marie-Agnès» (*DE* p. 143). Le souvenir de cette tragédie familiale surgit dans *Les déserteuses* de *Rue Deschambault*, pendant la joyeuse réunion entre la mère de Christine et son amie d'enfance, Odile Constant. Parlant de ses enfants, maman lui dit : «et j'en ai perdu une, Odile... une belle petite fille. Elle est morte si rapidement» (*RD* p. 129). Mais la transposition en fiction suscite un remaniement, puisque Christine raconte comment les deux amies pleurent ensemble sa petite soeur morte à quatre ans de *méningite* (*RD* p. 129). On est en droit de se demander si ce remaniement ne devait pas compenser un éventuel sentiment de culpabilité familiale, occasionné par une mort accidentelle, survenue à la maison?

Le sentiment de culpabilité

Or, pour Gabrielle Roy elle-même, l'objet blessé est sa mère. De son propre aveu, elle reconnaît se sentir coupable pour être partie en Europe, laissant sa mère seule. «Personne autour de moi ne me soutenait», avoue-t-elle (*DE* p. 211). Ses soeurs lui avaient bien fait comprendre à quel point elles désapprouvaient ses projets de voyage. Sa mère elle-même se désolait. Seule Bernadette, à qui elle avait confié ses doutes et ses hésitations, lui offrait de l'encouragement (*DE* pp. 213-215). Et même si elle finit par partir, elle reste marquée d'une part par la désapprobation des siens, et d'autre part par son propre sentiment de culpabilité, né de sa désertion et de son manque de solidarité. Elle reconnaît sa faute aux yeux de tous ceux qui sont restés Français au Manitoba, malgré les interdits sociaux auxquels ils se heurtent et en dépit des difficultés de la vie quotidienne. Professeurs qui avaient bravé la loi scolaire pour lui enseigner la langue et la littérature françaises, camarades du Cercle Molière et d'autres organismes franco-manitobains. Elle admet surtout la peine que son départ infligeait à sa mère; elle se sent d'autant plus coupable que cette dernière ne lui faisait jamais de reproche. Ce sentiment de culpabilité qui devait la poursuivre longtemps, allait remonter à la surface chaque fois qu'elle recevait une lettre de sa mère :

> ... je vis, à l'autre bout du monde, ma mère assise à une table de bois, la bouteille d'encre à sa portée, ses lunettes tombées sur le nez, qui m'écrivait, son visage marquant la souffrance de ne pouvoir m'aider et le désir infini de ne pas au moins m'accabler. Alors la honte d'avoir pu être heureuse alors qu'elle était si triste m'accabla (*DE* p. 408).

Son sentiment de culpabilité se résume donc dans son refus de se sacrifier à sa mère comme sa mère s'était sacrifiée à elle, sa «petite dernière». Elle se sent responsable aussi, dans une certaine mesure, de la mort de sa mère, comme l'attestent les dernières pages de *La route d'Altamont* :

> Ma mère déclina très vite. Sans doute mourut-elle de maladie, mais peut-être un peu aussi de chagrin comme en meurent au fond tant de gens (*RdA* p. 255).

Ce passage est cité par Gérard Bessette qui, dès 1973, formule l'hypothèse selon laquelle l'écrivaine, se sentant responsable de la mort de sa mère, aurait tâché de conjurer son remords par l'art[19]. On ne manquera pas d'admirer la perspicacité du critique quand on lit les mots de Roy dans son autobiographie :

> Étonnamment, maman, après une lutte d'arrache-pied pour me garder, tout à coup céda. La fin de sa résistance, je l'ai racontée dans *La Route d'Altamont* et, quoique ce soit en partie romancé, c'est-à-dire transcendé, il reste que j'ai mis l'essentielle vérité dans ce récit et ne veux plus revenir sur cette vieille douleur (*DE* p. 183).

Comment en effet se faire pardonner d'un si grand tort? Comment s'excuser à ses propres yeux? Doublement culpabilisée par le sacrifice de sa mère à son endroit et par sa mort, l'auteure semble refouler pendant plusieurs années ses sentiments inavouables. En effet, comme le fait remarquer François Ricard, elle garde le silence jusqu'au moment où, en 1954, la Société royale du Canada lui demande de rédiger un article sur le Manitoba[20]. Une fois qu'elle se voit obligée de scruter son passé, les vannes s'ouvrent, lançant toute une série de récits dans la veine autobiographique. C'est alors qu'elle essaie de

---

[19] *Trois romanciers québécois*, Montréal, Éditions du jour, 1973.

[20] Il s'agit de *Souvenirs du Manitoba*. «Écrit d'abord *à contrecoeur*, cet article, mettant en branle les mécanismes de la mémoire et ouvrant la conscience de l'écrivain à un flot puissant de souvenirs et d'impressions concrètes, devient bientôt l'occasion d'une redécouverte et d'une conversion d'où sortira *Rue Deschambault*...» François Ricard, *Gabrielle Roy*, p. 91.

recréer sa mère par la force de la littérature. Elle redonne à Mélina Roy, morte en 1943, un visage et une voix. Le personnage de la mère, Mélina-Éveline, joue un rôle de premier plan dans *Rue Deschambault* (1955), *De quoi t'ennuies-tu, Éveline?* (composé dès 1960) et *La route d'Altamont* (1966). Pour se déculpabiliser, Gabrielle Roy fait dire à Christine toute l'admiration qu'elle éprouvait pour sa mère, avec ses rêves d'aventure, son talent de conteuse et cet esprit de sacrifice qui avait permis à sa fille de s'épanouir. Le don réciproque tardivement offert par la romancière à sa mère, c'est le portrait littéraire d'Éveline, incarnant ses traits de caractère. Envisagées de ce point de vue, les deux premières oeuvres du cycle manitobain offriraient la réparation de l'objet blessé, à savoir la mère.

Le sentiment d'infériorité

Il n'est pas exclu, cependant, que *Rue Deschambault* et *La route d'Altamont* proposeraient en même temps la réparation du sujet. Ce qui frappe dans ces textes des années cinquante et soixante, comme dans l'article *Souvenirs du Manitoba*, c'est l'ambiance de bonheur sécurisant qui s'en dégage. Les rares sources de malheur sont indiquées avec discrétion : la maladie d'Alicia, les relations mère-fille troublées par un premier amour, l'humeur morose et taciturne du père ou la mort de la grand-mère. Mais ces épisodes ne constituent que quelques ombres au tableau ensoleillé du jardin de l'enfance. On imagine

Christine heureuse. C'est presque par parenthèse que l'auteure fait remarquer les difficultés qu'éprouvaient les Canadiens français du Manitoba à conserver leur identité culturelle. Dans ses *Souvenirs du Manitoba* elle affirme :

> Mon enfance au Manitoba fut enveloppée d'une sécurité profonde. Sans doute nous eûmes à nous armer d'ingéniosité pour conserver notre langue, – les groupements canadiens-français de l'Ouest ne se sont pas maintenus sans épreuves ni sacrifices, – néanmoins ce que je me rappelle le mieux des premières années de ma vie à Saint-Boniface, c'est une impression de sécurité : de cette sécurité que donne à la vie un passé entretenu par des récits, des souvenirs, par un ordre social et moral éprouvé (*SM* p. 1).

Toujours est-il que l'autobiographie parue en 1984 projette une tout autre image de l'enfance de l'auteure, traitant du passage du jardin édénique au monde adulte sous un éclairage nettement différent. Cette fois, l'auteure insiste dès la phrase d'ouverture sur le malheur de naître Canadienne française au Manitoba et d'être, par conséquent, traitée en inférieure. Et aux humiliations de l'infériorité devant la loi manitobaine s'ajoutent les douleurs historiques de l'exil, racontées par sa mère, et la longue infortune de leurs ancêtres acadiens, chassés par la politique et poursuivis par la misère (*DE* pp. 24-31). L'appartenance au groupe des Canadiens français semble rattacher Gabrielle à une lignée familiale et collective vouée au malheur.

L'écrivaine raconte aussi une enfance plus que pauvre dans une famille tellement démunie que son appendicite risque d'entraîner leur ruine financière (*DE* pp. 17-37). Pourtant, de telles mortifications de la pauvreté sont à peine évoquées dans *Rue Deschambault*, où il est question des soucis pécuniers dans deux récits seulement, *Les deux nègres* et *Gagner ma vie*. Ces problèmes sont absents de *La route d'Altamont* aussi, à l'exception d'une référence à la difficulté d'envoyer Christine en vacances, faute d'argent. Mais en contraste avec le fragment fictif sur «notre nègre», ce pensionnaire idéal qui leur rend la vie si agréable, l'auteure offre le témoignage plus complet de son autobiographie :

> Il me semble que nous avions toujours quelques étrangers vivant avec nous. Parfois, ils étaient bien élevés, agréables de manières; nous les accueillions comme des gens de la famille. Nous nous sommes fait des amis de quelques-uns, que nous avons regrettés longtemps après leur départ. D'autres nous étaient antipathiques. Nous les trouvions vulgaires ou bruyants. Nous avions toutes les peines du monde à les endurer sous notre toit. De toute façon, indépendants comme nous étions de nature, je me demande comment nous avons pu supporter de n'avoir pas notre maison à nous seuls pendant des années. Mais l'argent ainsi obtenu était presque notre unique ressource (*DE* p. 64).

Il est clair que bien que *La détresse et l'enchantement* reconstitue le monde de l'enfance, c'est pour le peindre dans une perspective bien différente. La situation d'une minorité opprimée, les souffrances quasi héréditaires des exilés, le dénuement de sa propre famille : tels sont les souvenirs d'enfance qui finissent par faire surface et les émotions qui les colorent. Autant *Rue Deschambault* et *La route d'Altamont* baignent dans le bonheur, autant l'autobiographie révèle une enfance placée sous le signe du malheur. Pour ces raisons il est probable que les fragments fictifs, avec leur image consolante du passé, offrent la double compensation de la réparation de l'objet (la mère) et du sujet (l'auteure elle-même).

Culpabilité ou infériorité?

Selon certains, *Ces enfants de ma vie* serait aussi une oeuvre dictée par le sentiment de culpabilité que l'écrivaine éprouvait envers sa mère. Discutant du thème de la rupture et de la réconciliation entre maîtresse et élève, Agnès Whitfield fait remarquer à quel point l'harmonie qui règne à la fin de chaque nouvelle est imprégnée de la présence maternelle. «Ce qui est reconstitué, c'est la fusion affective de l'enfant avec sa mère[21]». Mais accepter que la fonction de mère soit assumée par l'institutrice, c'est nier les nombreuses figures de mères réellement mises en scène dans le texte. De plus, l'image maternelle s'oppose, comme nous l'avons souligné, à celle de l'institutrice. C'est la voix de celle-ci, la voix du moi (réel ou fictif) qui prédomine dans ces récits. L'institutrice est dotée d'autorité et de pouvoir bien plus que les mères de ses élèves. Elle se dresse en contrepartie au

---

[21] *Quand l'écriture rencontre la mémoire*, p. 137.

rapide défilé de mères qui lui confient leurs enfants lors de la rentrée, à la pauvre mère de Clair, reconnaissante de ses mots d'approbation, ou à la mère absente de Médéric. Elle règne sur son monde scolaire bien autrement que la mère de Demetrioff ou madame Pasquier dans leur famille, l'une soumise à son mari, l'autre réduite à «sa terrible tâche de pourvoyeuse de l'espèce» (*CV* p. 121). La mère de l'institutrice est elle-même effacée, affaiblie par l'âge et devenue dépendante de sa fille.

Autant l'image maternelle est dévalorisée dans *Ces enfants de ma vie*, autant celle de l'institutrice est mise en valeur. Il est donc légitime de se demander si Gabrielle Roy n'aurait pas voulu se défendre à ses propres yeux ou même se racheter. Pourquoi avait-elle suivi si docilement le chemin tracé par sa mère, en acceptant de devenir institutrice? Ce recueil lui donne l'occasion d'affirmer la valeur des années passées comme enseignante. Au fond, n'était-elle pas restée fidèle à son moi authentique et à sa vocation d'écrivaine, tout en se pliant aux désirs de sa mère? Car son expérience d'institutrice n'est pas en contradiction complète avec sa vocation profonde du moment que l'enseignement, devenu la matière d'un livre, nourrit l'écriture.

Envisagé de ce point de vue, *Ces enfants de ma vie* constituerait la réparation du sujet, pour reprendre la terminologie de Chassegut-Smirgel. Cet argument est confirmé par l'image radieuse de l'institutrice, image aux antipodes du portrait que Gabrielle

Roy peint d'elle-même dans *La détresse et l'enchantement*. Car dès les premiers mots de cette autobiographie surgissent des sentiments d'impuissance, d'infériorité et d'humiliation que les ans n'ont rien fait pour effacer. Il n'est donc pas exclu que l'institutrice projette l'image de l'autre rêvé et que son portrait, brossé en même temps que l'auteure travaille à son autobiographie[22], relève de la fiction compensatoire. En tant qu'oeuvre de consolation, *Ces enfants de ma vie* atteste le triomphe de l'auteure, qui a surmonté les obstacles de son enfance plus que pauvre et de son apprentissage scolaire et professionnel fait obligatoirement en anglais. Canadienne française minoritaire, «d'une espèce destinée à être traitée en inférieure» dans son propre pays (*DE* p. 11), Gabrielle Roy se dit animée dans sa jeunesse du désir de venger par son propre succès le malheur et l'infortune des siens. Or, dans les pages de *Ces enfants de ma vie*, l'institutrice vit quotidiennement son triomphe sur ses origines humbles en milieu minoritaire. Et non seulement échappe-t-elle au sort des siens mais aussi à la condition féminine qui pèse si lourdement sur les autres femmes.

Les succès de l'ancienne institutrice ne lui font pas pour autant oublier les défavorisés qu'elle a connus. Si dans *La détresse et l'enchantement* elle s'étend sur ses propres malheurs, *Ces enfants de ma vie* raconte l'histoire de tous les dépossédés : immigrants,

[22] Cp. les mots de l'auteure, «... le livre auquel je mets la dernière main ces jours-ci : *Ces enfants de ma vie* (*DE*, p. 111).

femmes, enfants. Ils souffrent de pauvreté et de privations; ce sont des êtres marginalisés, vivant à la lisière de la ville, aussi timides à entrer dans la salle de classe le jour des parents qu'incapables de trouver leur place dans la société. Même Paraskovia Galaïda, la plus cultivée et la plus capable de surmonter les obstacles de son espace social, est condamnée à rester en marge puisqu'elle ne parle pas anglais. En effet, quiconque ne parle pas la langue majoritaire, comme Mélina Roy et la petite Gabrielle, s'expose au ridicule et à l'humiliation dans les grands magasins ou les rues de Winnipeg (*DE* pp. 13-15). Mais l'institutrice, qui a maîtrisé cette langue, et qui est capable de l'enseigner, peut aider les enfants des immigrants à accéder à la société. C'est d'ailleurs la marque la plus éclatante de son succès et de sa vengeance. Bref, selon toute évidence, *Ces enfants de ma vie* est une oeuvre de consolation et une affirmation de la valeur de son auteure, puisant son inspiration profonde du besoin de réparer le sujet. En revanche, *Rue Deschambault* et *La route d'Altamont* sont dictés d'abord par la nécessité de réparer le tort fait par l'auteure à sa mère mais conçus aussi comme oeuvres de consolation.

De la réalité à la fiction

La tension entre fiction et réalité fait ainsi naître maintes questions sur la nature de la création romanesque dans le cycle manitobain de Gabrielle Roy. Le mélange d'autobiographie et d'imagination dans les trois textes est si intime qu'on risque de s'y tromper. S'agit-il d'oeuvres romanesques ou de confidences? Quel est le statut du moi? Le «moi-enfant» du passé et le «moi-adulte» du présent représentent-ils Gabrielle Roy elle-même? La jeune Christine qui veut devenir écrivaine est-elle devenue Gabrielle Roy, célèbre romancière dont l'oeuvre est traduite en plusieurs langues? Faudrait-il l'identifier en tout ou en partie à Gabrielle Roy?

Certes, on ne saurait nier la source autobiographique de maints détails romanesques. Comme nous l'avons vu, la matière vivante du microcosme qu'habitent Christine et sa famille a été prélevée en pleine terre manitobaine, conférant aux trois oeuvres du cycle un substrat homogène. Toutefois, la réalité est librement investie d'imagination et le temps et l'espace extérieurs se plient aux exigences du regard intérieur. Dès que Gabrielle Roy aborde le mode de la création romanesque, les faits présents à sa mémoire sont transformés et les souvenirs sont sujets à des altérations amenées, qu'on le veuille ou non, par le temps et la mémoire. Car les faits remémorés qui passent par le filtre affectif de la mémoire ne renaissent jamais les mêmes[23]. Les scènes du passé changent, reconnaît l'auteure, songeant à son ancienne maison :

---

[23] «Il va de soi que le souvenir ne reparaît jamais le même. L'identité est l'oeuvre de l'esprit. Les images qui constituent un souvenir ne sont jamais les mêmes quand ce souvenir renaît. Elles sont déformées par le présent qui s'impose à notre vision du passé, par les transformations du moi qui rejaillissent sur elle; elles s'altèrent par l'oubli» (Gaston Bachelard, *L'Eau et les Rêves*, p. 24, cité par A. Saint-Pierre, *op. cit.*, p. 124).

> Est-ce mon souvenir embelli qui me la fait voir aujourd'hui telle une espèce de temple grec en notre petite rue Deschambault (*RD* p. 83)?

La perspective du présent, qui vient colorer le passé, apaise certains sentiments, alors que d'autres émotions, refoulées depuis longtemps, doivent être conjurées. La création romanesque devient alors justification, compensation ou véritable exorcisme littéraire.

Conclusion

De la naissance à la mort, de la mort à la naissance, nous ne cessons, par le souvenir, par le rêve, d'aller comme l'un vers l'autre, à notre propre rencontre, alors que croît entre nous la distance.

La frontière entre les récits fictifs de Gabrielle Roy et ses récits autobiographiques semble être bien floue. L'espace romanesque ressemble à celui de l'autobiographie, l'imaginaire et la réalité se confondent dans un long récit au cours duquel l'auteure crée et recrée son passé. De ce fait, tous les textes écrits dans cette veine autobiographique – *Mon chapeau rose* de *Rue Deschambault* aussi bien que *Le bal chez le gouverneur*, grande partie de *La détresse et l'enchantement* – constituent des fragments d'un seul et même texte, véritable Künstlerroman au cours duquel l'auteure raconte son cheminement d'artiste, source de sa détresse et de son enchantement. C'est un corpus textuel typiquement féminin, «sans fin... sans but et sans bout, ça ne se termine pas[1]».

Pour reprendre les mots du critique Philippe Lejeune, l'autobiographie serait un «récit rétrospectif en prose qu'une personne fait de sa propre existence lorsqu'elle met l'accent sur la vie individuelle, en particulier sur l'histoire de sa personnalité[2]». Pour ce spécialiste, il faut distinguer entre le texte autobiographique, dans lequel l'auteur assume son identité au niveau de l'énonciation – il y a donc identité entre auteur, narrateur et personnage – et le roman autobiographique, dans lequel l'auteur a nié cette identité ou du moins ne l'a pas affirmée[3]. Cette distinction est valable pour l'oeuvre de Gabrielle Roy, à condition de traiter son autobiographie avec circonspection. Car dans son avertissement de l'éditeur, François Ricard affirme de cet ouvrage :

> Gabrielle Roy tenait à ce qu'il ne fût pas présenté comme des «mémoires», mais bien comme une *autobiographie*. Ce dernier terme, en effet, lui semblait correspondre plus fidèlement à la véritable nature de son entreprise, qui ne vise pas tant à la reconstitution historique d'une époque disparue, que, par le souvenir et l'imagination, et surtout par une écriture fortement imprégnée de subjectivité et d'émotion, à la re-création, à la ré-assumation, dans le présent, d'un passé qui ne cesse jamais de prendre forme et de vivre à mesure qu'il est évoqué (*DE* p. 8).

---

[1] Mots d'Hélène Cixous, cités plus haut, p. 139.

[2] Philippe Lejeune, *Le pacte autobiographique*, Paris, Seuil, 1975, p. 14.

[3] *Ibid.*, p. 23.

Il est vrai que dans le discours autobiographique, à l'encontre du récit fictif, l'auteur n'a pas la liberté de changer les faits vérifiables du vécu tels que les noms propres, lieux ou dates. Mais il serait faux d'en conclure que l'autobiographie est un document objectif. Une histoire de soi ne saurait être une source historique du fait qu'elle est remémoration subjective du passé, en même temps partielle et partiale. Même l'auteur qui se veut fidèle à la vérité sera amené à remanier tant soit peu ses souvenirs. Bien que moins ouvertement que dans le récit fictif, où on a le droit de masquer les faits et dits de la réalité, se souvenir c'est toujours un peu s'inventer. Et l'affirmation de François Ricard, que nous citons plus haut, atteste que Gabrielle Roy en était pleinement consciente.

C'est justement le caractère ambigu de ses premiers récits, dont une partie est vraie et rien n'est totalement faux, qui l'oppose à sa soeur Marie-Anna Adèle. Celle-ci se fait une conception de la littérature comme copie de la réalité et érige en règle esthétique le principe de dire la vérité – «l'oeuvre vraie étant pour elle la seule qui puisse aspirer au nom de chef d'oeuvre[4]». Et Gabrielle n'aurait pas dit la vérité sur elle-même et sur les siens; elle aurait projeté une image idéalisée d'elle-même tout en traitant d'autres membres de la famille – le père, par exemple – d'une façon moins complaisante. Pour Marie-Anna Adèle, à travers le personnage de Christine, Gabrielle n'a pu

[4] Paul Genuist, *Marie-Anna Roy*, p. 89.

s'empêcher de s'inventer. Selon Adèle, la perception de la réalité sur laquelle s'appuie Gabrielle est également contestée par Anna, leur soeur aînée. Elle cite dans *Le miroir du passé* une lettre d'Anna dans laquelle cette dernière dit : «tu te crois toi-même quand tu t'attribues certaines qualités; tu es un être qui stupéfie, qui mystifie, qui induit bien des gens en erreur[5]». Les deux s'indignent contre Gabrielle, qui n'a rien fait pour éclairer la distinction entre fiction et réalité, personnage et personne.

Il est indéniable que certaines des composantes de son écriture aident aussi à brouiller la distinction entre autobiographie et fiction autobiographique. Il s'agit avant tout de l'emploi dans les fragments fictifs d'un «je» au statut non seulement ambigu mais encore changeant. Et la partialité évidente que l'auteure témoigne en faveur de son personnage-point-de-vue – dotée ou non du prénom Christine – incite le lecteur à confondre auteure et narratrice. Pour peu que l'on ajoute à ce «je de la pseudo-confidence[6]», l'emploi astucieux des temps verbaux, l'on comprend avec M. Ducrocq-Poirier que : «Là réside un procédé qui a contribué avec d'autres sans doute à faire tenir ses affabulations pour réminiscences dans ses nouvelles et à laisser prétendre qu'elles étaient transcrites de son passé[7]».

---

[5] Cité par Paul Genuist, *op. cit.*, p. 58.

[6] M. Ducrocq-Poirier, *L'art de la nouvelle chez Gabrielle Roy dans* Rue Deschambault, dans *Un pays, une voix, Gabrielle Roy*, éd. Marie-Lyne Piccione, Bordeaux, Éditions de la Maison des Sciences de l'Homme d'Aquitaine, 1991, p. 24.

[7] *Ibid*, p. 25.

Si les premiers textes se prêtent à l'ambiguïté, que penser de *Ces enfants de ma vie*? Ici, le jeu de la fiction est plus obscur et les ressorts du texte s'avèrent plus difficiles à relever. Puisque la narratrice n'est nommée dans aucune des six nouvelles du recueil, la distance – si petite soit-elle – entre elle-même et l'auteure est abolie. Grâce à l'anonymat du personnage central, le pronom «je» peut représenter sans discrimination auteure et narratrice. L'identité de l'institutrice des nouvelles de *Ces enfants de ma vie* est d'ailleurs confirmée par quelques notes écrites de la main de l'auteure sur des feuilles de papier et conservées, avec le tapuscrit de l'oeuvre, au Fonds Gabrielle-Roy :

> Gabrielle Roy raconte ses années de jeune institutrice, elle évoque le souvenir d'enfants inoubliables qui l'ont accompagnée tout au long de sa vie... enfants de soleil fleuris souvent au milieu de la misère, de l'abandon...[8]

Il est donc clair que si Roy se raconte d'abord par la médiation de la fiction, elle finit par se livrer à un discours autobiographique. François Ricard a bien vu l'orientation plus ouvertement autobiographique de ce recueil et d'autres des années 1970, et il souligne qu'elle constitue justement une amplification des tendances inhérentes à l'oeuvre :

> Cette centralité de l'inspiration autobiographique éclate de façon particulière dans ses derniers

[8] Reproduit avec la permission du Fonds Gabrielle-Roy.

ouvrages : *Ces enfants de ma vie*, *Fragiles Lumières de la terre* et, bien sûr, *La Détresse et l'enchantement*, à quoi il faudrait ajouter *Cet été qui chantait*, qui est comme un journal traversé de souvenirs. Mais ce trait, s'il culmine alors et devient plus visible – sinon exclusif – est présent en fait depuis beaucoup plus longtemps, quoique sur des modes plus ou moins médiatisés. On pense, bien sûr, à *Rue Deschambault* et à *La Route d'Altamont*, où le récit, fondé sur le passé personnel de l'auteur, emprunte la voix d'un personnage fictif, Christine, mais d'un personnage qui dit «je»[9].

À tous égards, le sens des trois textes du cycle manitobain se résume dans le personnage central. Bien que Christine partage les traits de l'écrivaine, elle reste néanmoins fictive, un personnage mixte où se retrouvent à la fois Gabrielle Roy telle qu'elle a été et comme elle aurait voulu être. Projetant l'image consolatrice d'un *alter ego*, l'auteure crée ce personnage pour s'aider à accepter son passé. Ainsi commence cette recomposition incessante au cours de laquelle elle crée un moi et un monde mi-réels, mi-fictifs pour effacer ses sentiments de culpabilité et pour se consoler des humiliations subies au passé. Pauvre, elle supprime dans *Rue Deschambault* certaines références à la pauvreté[10]. Vouée en tant que fille à la triste et humiliante condition féminine, elle

---

[9] François Ricard, *La biographie de Gabrielle Roy : problèmes et hypothèses*, dans *Voix et images*, vol. 14, n° 3, printemps 1989, pp. 455-456.

[10] Dans une version antérieure de la nouvelle *Les déserteuses*, conservée au Fonds Gabrielle-Roy, Christine veut empêcher sa mère de partir en lui rappelant que les enfants ont besoin de chaussures et de manteaux.

crée un personnage qui y échappe en affichant son indépendance. Se croyant destinée à être traitée en inférieure dans son propre pays mais néanmoins honteuse pour avoir «déserté» ses compatriotes canadiens-français en quittant le Manitoba, elle montre dans son oeuvre que les valeurs de ce groupe minoritaire pouvaient assurer un bonheur et une sécurité édéniques. Pleine de remords et de regret pour avoir laissé sa mère seule, elle prête à Éveline, la mère de Christine, la voix de Mélina Roy. Bref, installée dans son passé, elle réinvente son monde pour revaloriser son moi.

Il est clair que pour Gabrielle Roy, l'acte créateur agit telle une catharsis en la libérant de sentiments longtemps refoulés dans le subconscient. Et, en choisissant un espace autobiographique où elle parle et s'écoute, elle se montre foncièrement romantique. C'est une caractéristique qui s'est manifestée à maintes reprises au fil de ces récits manitobains où elle se place au centre de l'oeuvre. Cela se voit tout d'abord à son affinité avec le monde naturel, lieu de prédilection des êtres romantiques. Roy partage avec eux le sentiment de la nature, sentiment omniprésent dans l'ensemble des recueils, et le goût de la solitude. Comme eux, elle révèle le malheur de celui qui est chassé du paradis terrestre ou exilé du royaume de l'enfance. Elle garde aussi une nostalgie romantique de l'enfance, époque d'exaltation, dominée par les rêves d'idéal et d'absolu. Et ce romantisme épars dans les textes éclate dans le récit de Médéric, où certains segments racontent l'amour jeune et pur de la maîtresse et avouent son aspiration vers la mort. Par ailleurs, dans *La détresse et l'enchantement*, Roy adhère à la conception tragique que les romantiques se font de leur destinée en tant qu'êtres malheureux aux prises avec une société hostile. L'acte créateur permet donc à l'écrivaine de transmuer la détresse en enchantement. «Souffrance et joie», écrit-elle dans une lettre à Bernadette, mourant d'un cancer, «voilà les pôles du terrible balancier qu'est la vie» (*LB* p. 193).

Mais si cette perception d'une vie promise au malheur hante ses interrogations sur le passé, elle semble néanmoins se croire – comme tout romantique – élue par le destin. On relève les signes de ce destin au fil des textes fictifs aussi bien que dans son autobiographie. Adolescente, elle voudrait devenir «cette autre moi-même qui dans l'avenir [l']invitait à l'atteindre» alors que la voix des étangs lui parle du mystère de la tâche qu'elle s'était donnée, ou qu'elle avait acceptée (*RD* p. 245). L'appel du destin devient le «tyrannique maître» auquel elle se sent tenu d'obéir comme à un devoir, qui la pousse à partir pour découvrir sa place au monde; c'est la force aveugle, «insensible s'il le fallait à la peine qu'il [lui] ferait et ferait à d'autres» (*RdA* p. 231). «Comme c'est long d'arriver à ce que l'on doit devenir!» s'écrie Gabrielle Roy dans son autobiographie, se souvenant des longues années d'apprentissage au cours desquelles elle n'avait pas encore écrit une seule ligne dont elle était contente (*DE* p. 229).

Fiction et autobiographie convergent pour expliquer et pour justifier pourquoi elle a poursuivi sa carrière sans faire ouvertement la moindre concession aux mouvements d'action sociale en faveur des pauvres et des femmes. En choisissant l'écriture – ou en se laissant élire par l'écriture, comme elle dit – Gabrielle Roy fait un choix exclusif. Désormais, tout passe par le regard intérieur, quitte à devenir partie intégrante de la texture de l'écriture. La fiction dépasse alors le stade de la représentation mimétique du réel, pour devenir jeu d'images et d'oppositions, discours et effets langagiers, harmonie et intensité. Ce que sa soeur Adèle reproche le plus à son oeuvre – la composante de l'imaginaire dont la réalité est investie – est précisément la dimension esthétique qui en fait une oeuvre d'art.

Qu'elle soit fière de cette oeuvre grâce à laquelle elle accomplit son destin, cela ne fait pas de doute. Elle se flatte même que d'autres se rendent compte qu'elle est promise à une destinée exceptionnelle. C'est le cas du chef de gare qu'elle rencontre en route pour le pays de la Petite Poule d'eau, qui n'est que trop content d'avoir eu l'occasion de lui marquer de la bonté. L'auteure se demande d'ailleurs :

> ... si, plus tard, quand sortirent mes premiers livres – surtout *La Petite Poule d'Eau* – cet homme ne fit pas le lien entre l'auteur et la jeune fille qu'il avait hébergée un matin d'été, se disant : «Je me doutais aussi que j'entendrais un jour parler d'elle» (*DE* p. 222).

Cette déclaration plutôt présomptueuse nous en dit long sur l'image que Gabrielle Roy se fait d'elle-même. À vrai dire, on a souvent l'impression que grâce aux artifices du discours, l'écrivaine a laissé d'elle-même l'image qu'elle voulait[11]. Si, en définitive, la fiction autobiographique n'est pas l'autobiographie – et si, en plus, l'autobiographie est investie de fiction – il n'en reste pas moins vrai que certaines techniques d'écriture incitent le lecteur à entrer dans les jeux de l'imagination. La perspective est si clairement aménagée que l'on commence à croire à l'illusion; l'on voit le passé exactement comme l'auteure l'a ressuscité, à travers les yeux de Christine, et l'on se fie à l'interprétation proposée par la narratrice.

En dernière analyse, les allusions autobiographiques du cycle manitobain sont tellement nombreuses que Christine est devenue pour beaucoup de lecteurs la réplique de Gabrielle Roy aussi sûrement que l'auteure a dû s'identifier à son personnage fictif.

---

[11] Elle se sentirait lésée chaque fois que quelqu'un s'attaque à cette image. Pour Paul Genuist, c'est la raison pour laquelle elle réagit si violemment quand sa soeur Adèle dépose un manuscrit qui donne d'elle une image différente. Voir *Gabrielle Roy, personnage et personne*, dans *Langue et communication*, Saint-Boniface, Centre d'études franco-canadiennes de l'Ouest, 1990, pp. 122-125.

Bibliographie

I. Oeuvres publiées

La date de la première publication est indiquée entre parenthèses; la deuxième est celle de l'édition la plus récente.

Bonheur d'occasion (1945), Montréal, Stanké, 1977, 398 p.

La Petite Poule d'eau (1950), Montréal, Stanké, 1980, 292 p.

Alexandre Chenevert (1954), Montréal, Stanké, 1979, 397 p.

Rue Deschambault (1955), Montréal, Stanké, 1980, 307 p.

La montagne secrète (1961), Montréal, Stanké, 1978, 226 p.

La route d'Altamont (1966), Montréal, Stanké, 1985, 268 p.

La rivière sans repos (1970), Montréal, Stanké, 1979, 331 p.

Cet été qui chantait (1972), Montréal, Stanké, 1979, 215 p.

Un jardin au bout du monde (1975), Montréal, Stanké, 1987, 233 p.

Ma vache Bossie (1976), conte pour enfants, Montréal, Leméac, 1976, 45 p.

Ces enfants de ma vie (1977), Montréal, Stanké, 1983, 227 p.

Fragiles lumières de la terre (1978), Montréal, Stanké, 1982, 249 p.

Courte-queue, conte pour enfants (1979), Montréal, Stanké, 1979, 50 p.

De quoi t'ennuies-tu, Éveline? suivi de *Ely! Ely! Ely!* (1979, 1982), Montréal, Boréal, 1988, 125 p.

La détresse et l'enchantement (1984), Montréal, Boréal, 1988, 507 p.

L'Espagnole et la Pékinoise, conte pour enfants (1986), Montréal, Boréal, 1986, 46 p.

Ma chère petite soeur, lettres à Bernadette 1943-1970 (1988), Montréal, Boréal, 1988, 261 p.

Seuls figurent dans cette partie les articles, nouvelles et reportages non regroupés dont il est question dans la présente étude.

Comment nous sommes restés français au Manitoba, dans *Je suis partout*, le 19 août 1939.

Les petits pas de Caroline, dans *Bulletin des Agriculteurs*, octobre 1940, pp. 11, 45-49.

Pitié pour les institutrices!, dans *Bulletin des Agriculteurs*, mars 1942, pp. 7, 45, 46.

Souvenirs du Manitoba, dans *Mémoires de la Société royale du Canada*, 3e série, tome XLVIII, juin 1954, pp. 1-6.

L'arbre, dans *Cahiers de l'Académie canadienne-française*, n° 13, Versions, Montréal, 1970, pp. 5-28.

II. Sources manuscrites

A. Fonds Gabrielle-Roy, Collection des Manuscrits littéraires, MSS-C10, Bibliothèque nationale du Canada : manuscrits des oeuvres publiées ou inédites, dont un scénario de film de l'auteure tiré du *Vieillard et l'enfant, Christmas on Deschambault Street* (nouvelle de sa soeur Anna Painchaud), reportages et articles, notes de l'auteure et sa correspondance relative aux oeuvres. Textes reproduits avec la permission du Fonds Gabrielle-Roy.

B. Tony Tascona Papers 88-74, Archives de l'Université de Régina : lettre de Gabrielle Roy reproduite avec la permission du Fonds Gabrielle-Roy.

III. Numéros spéciaux de revues consacrés à Gabrielle Roy

Études littéraires, vol. 17, n° 3, hiver 1984. *Gabrielle Roy, hommage*, préparé sous la direction de Paul Socken.

Voix et images, vol. 14, n° 3, printemps 1989. *Dossier Gabrielle-Roy*, présenté par François Ricard.

Cahiers franco-canadiens de l'Ouest, vol. 3, n° 1, printemps 1991. *Gabrielle Roy : voies nouvelles*, présenté par Lise Gaboury-Diallo.

IV. Livres consultés

BABBY, Ellen Reisman, *The Play of Language and Spectacle : A Structural Reading of Selected Texts by Gabrielle Roy*, Toronto, ECW Press, 1985, 130p.

BACHELARD, Gaston, *L'eau et les rêves*, Paris, Librairie José Corti, 1942, 265 p.

BEAUVOIR, Simone de, *Le deuxième sexe*, Paris, Gallimard, 1949, 2 volumes, 577 p.

BELLEAU, André, *Le romancier fictif*, Sillery, Presses de l'Université du Québec, 1980 155 p.

BERNIKOW, Louise, *Among Women*, New York, Harper Colophon, 1981, 296 p.

BESSETTE, Gérard, *Trois romanciers québécois*, Montréal, Éditions du jour, 1973, 240 p.

BLAY, Jacqueline, *L'Article 23*, Saint-Boniface, Éditions du Blé, 1987, 392 p.

BROCHU, André, *L'instance critique : 1961-1973*, Montréal, Leméac, 1974, 375 p.

————, *La visée critique*, Montréal, Boréal, 1988, 249 p.

BUGNET, Georges, *La forêt*, Saint-Boniface, Éditions des Plaines, 1984, 239 p.

CAMPBELL, Joseph, *The Power of Myth*, avec Bill Moyers, New York, Doubleday, 1988, 231 p.

FRIDAY, Nancy, *My Mother/My Self : The Daughter's Search for Identity*, New York, Delacorte Press, 1977, 425 p.

FRYE, Northrop, *Le grand code : la Bible et sa littérature*, traduit par Catherine Malamoud, Collection poétique, Paris, Seuil, 1984, 339 p.

GAGNÉ, Marc, *Visages de Gabrielle Roy*, Montréal, Beauchemin, 1973, 327 p.

GENETTE, Gérard, *Figures III*, Paris, Seuil, 1972, 285 p.

GENUIST, Monique, *La création romanesque chez Gabrielle Roy*, Montréal, Cercle du livre de France, 1966, 174 p.

GENUIST, Paul, *Marie-Anna Roy - une voix solitaire*, avec la collaboration de Monique Genuist, Saint-Boniface, Éditions des Plaines, 1992, 178 p

GODARD, Barbara, éd., *Gynocritics/La gynocritique : Démarches féministes à l'écriture des Canadiennes et Québécoises*, Toronto, ECW Press, 1987, 386 p.

HESSE, M. Gudrun, *Gabrielle Roy par elle-même*, préface de Alain Stanké, traduit de l'anglais par Michelle Tisseyre, Montréal, Stanké, 1985, 179 p.

HIND-SMITH, Joan, *Three Voices : The Lives of Margaret Laurence, Gabrielle Roy & Frederick Philip Grove*, Toronto et Vancouver, Clarke, Irwin et cie, 1975, 234 p.

HUGHES, Terrance, *Gabrielle Roy et Margaret Laurence : deux chemins, une recherche*, Collection Soleil, Saint-Boniface, Éditions du Blé, 1983, 191 p.

IRIGARAY, Luce, *Le corps à corps avec la mère*, Montréal, La pleine lune, 1981, 89 p.

LEWIS, Paula Gilbert, *The Literary Vision of Gabrielle Roy - An Analysis of her Works*, Birmingham, Ala., Summa Publications, 1984, 319 p.

——— éd., *Traditionalism, Nationalism and Feminism : Women Writers of Québec*, Westport, Conn., Greenwood Press, 1985, 280 p.

MARCHESSAULT, Jovette, *La saga des poules mouillées*, Collection théâtre, Montréal, La pleine lune, 1981, 178 p.

PICCIONE, Marie-Lyne, éd., *Un pays, une voix, Gabrielle Roy*, Actes du Colloque du Centre d'études canadiennes de l'Université de Bordeaux, 1987, Bordeaux, Éditions de la Maison des Sciences de l'Homme d'Aquitaine, 1991, 116 p.

RICARD, François, *Gabrielle Roy*, Montréal, Fides, 1975, 191 p.

ROY, Marie-Anna A., *Le pain de chez nous - histoire d'une famille manitobaine*, Montréal, Éditions du Levrier, 1954, 255 p.

—————, *Le miroir du passé*, Montréal, Québec/ Amérique, 1979, 279 p.

SAINT-PIERRE, Annette, *Gabrielle Roy sous le signe du rêve*, Collection Soleil, Saint-Boniface, Éditions du Blé, 1975, 137 p.

SMART, Patricia, *Écrire dans la maison du père*, Montréal, Québec/ Amérique, 1988, 337 p.

WILLIAMS, David, *Confessional Fictions : A Portrait of the Artist in the Canadian Novel*, Toronto, University of Toronto Press, 1991, 291 p.

WYCZYNSKI, Paul, éd., *Le roman canadien-français, évolution, témoignages, bibliographie*, dans *Archives des lettres canadiennes*, III, 1963, 2e édition, Montréal, Fides, 1971, 458 p.

V. Articles consultés

BLAY, Jacqueline, *Le centenaire des lois de 1890 au Manitoba*, dans *Cahiers franco-canadiens de l'Ouest*, vol. 2, n° 1, printemps 1990, pp. 37-59.

BOURBONNAIS, Nicole, *La symbolique de l'espace dans les récits de Gabrielle Roy*, dans *Voix et images*, vol. 7, n° 2, hiver 1982, pp. 376-384.

BRAULT, Jacques, *Tonalités lointaines (sur l'écriture intimiste de Gabrielle Roy)*, dans *Voix et images*, vol. 14, n° 3, printemps 1989, pp. 387-398.

BROCHU, André, Ces enfants de ma vie, dans *Livres et auteurs québécois 1977*, Québec, Presses de l'Université Laval, 1978, pp. 39-43.

BROWN, Anne, *La haine de soi - le cas du roman féminin québécois*, dans *Studies in Canadian Literature*, vol. 14, n° 1, 1989, pp. 108-126.

DELSON-KARAN, Myrna, Ces enfants de ma vie – *Le testament littéraire de Gabrielle Roy,* dans *Revue francophone de Louisiane,* vol. 3, n° 2, 1988, pp. 66-77.

DUCROCQ-POIRIER, Madeleine, *L'art de la nouvelle chez Gabrielle Roy dans* Rue Deschambault, dans *Un pays, une voix, Gabrielle Roy,* textes réunis par Marie-Lyne Piccione, Bordeaux, Éditions de la Maison des Sciences de l'Homme d'Aquitaine, 1991, pp. 21-26.

ESSAR, Dennis, *Gabrielle Roy et la création littéraire – de l'espace et du temps dans* La route d'Altamont, dans *La langue, la culture et la société des francophones de l'Ouest,* Saint-Boniface, Centre d'études franco-canadiennes de l'Ouest, 1985, pp. 47-66.

————, *Gabrielle Roy – figurations spatiales d'une quête spirituelle,* dans *Un pays, une voix, Gabrielle Roy,* textes réunis par Marie-Lyne Piccione, Bordeaux, Éditions de la Maison des Sciences de l'Homme d'Aquitaine, 1991, pp. 27-35.

FRANCOEUR, Marie, *Portrait de l'artiste en pédagogue dans* Ces enfants de ma vie, dans *Études littéraires,* vol. 17, n° 3, hiver 1984, pp. 545-562.

FRÉMONT, Gabrielle, *Traces d'elles – essai de filliation,* dans *Gynocritics/La gynocritique : Démarches féministes à l'écriture des Canadiennes et Québécoises,* préparé par Barbara Godard, Toronto, ECW Press, 1987, pp. 85-95.

GALLAYS, François, *À propos de quelques recensions des* Enfants de ma vie *de Gabrielle Roy,* dans *Incidences,* nouvelle série, vol. 4, n° 2-3, mai-déc. 1980, pp. 7-47.

GAULIN, Michel, *Le monde romanesque de Gabrielle Roy et Roger Lemelin,* dans *Le roman canadien-français, évolution, témoignages, bibliographie,* dans *Archives des lettres canadiennes,* III, 1963, 2e édition, Montréal, Fides, 1971, pp. 133-151.

————, *La route d'Altamont,* dans *Incidences,* Revue littéraire de l'Université d'Ottawa, n° 10, 1967, pp. 27-38, étude reprise dans *Dossiers de documentation sur la littérature canadienne-française*, Ottawa, Fides, 1967, pp. 71-77.

GENUIST, Paul, *Gabrielle Roy, personnage et personne*, dans *Langue et communication*, Saint-Boniface, Centre d'études franco-canadiennes de l'Ouest, 1990, pp. 117-125.

GRISÉ, Yolande, *La thématique de la forêt dans deux romans ontarois*, dans *Voix et images*, vol. 14, nº 2, pp. 269-280.

HARVEY, Carol J., *Les collines et la plaine – l'héritage manitobain de Gabrielle Roy*, dans *Bulletin du Centre d'études franco-canadiennes de l'Ouest*, nº 12, octobre 1982, pp. 22-27.

————, *Structure et techniques narratives dans* La route d'Altamont, dans *La langue, la culture et la société des francophones de l'Ouest*, Saint-Boniface, Centre d'études franco-canadiennes de l'Ouest, 1984, pp. 97-107.

————, *La relation mère-fille dans* La route d'Altamont, dans *Revue canadienne des langues vivantes*, vol. 46, nº 2, janvier, 1990, pp. 304-311; publié aussi dans *Un pays, une voix, Gabrielle Roy*, textes réunis par Marie-Lyne Piccione, Bordeaux, Maison des Sciences de l'Homme d'Aquitaine, 1991, pp. 47-55.

————, *Symbolisme et communication dans l'oeuvre manitobaine de Gabrielle Roy*, dans *Langue et communication*, *Centre d'études franco-canadiennes de l'Ouest*, 1990, pp. 127-134.

————, *Gabrielle Roy, institutrice – reportage et texte narratif*, dans *Cahiers franco-canadiens de l'Ouest*, vol. 3, nº 1, printemps 1991, pp. 31-42.

————, *La plaine-mer de Gabrielle Roy*, dans *Mer et littérature*, Actes du Colloque international sur la Mer, Université de Moncton, Moncton, Éditions d'Acadie, 1992, pp. 246-255.

HESSE M. Gudrun, *Le portrait de l'enfance et de la jeunesse dans l'oeuvre de Gabrielle Roy*, dans *L'Action nationale*, vol. 62, nº 6, février 1973, pp. 496-512.

———————, *There are no more Strangers – Gabrielle Roy's immigrants*, dans *Canadian Children's Literature*, vol. 35-36, 1984, pp. 27-37.

KAPETANOVICH, Myo, *Gabrielle Roy –* Ces enfants de ma vie, dans *L'état de la recherche et de la vie française dans l'Ouest canadien*, Saint-Boniface, Centre d'études franco-canadiennes de l'Ouest, 1982, pp. 39-46.

LEGRAND, Albert, *Gabrielle Roy ou l'être partagé*, dans *Études françaises*, 1ère annee, n° 2, juin 1965, pp. 39-65.

LEWIS, Paula Gilbert, *Themes of Memory and Death in Gabrielle Roy's* Route d'Altamont, dans *Modern Fiction Studies*, vol. 22, n° 3, 1976, pp. 457-466.

————, *La dernière des grandes conteuses – une conversation avec Gabrielle Roy*, dans *Études littéraires*, vol. 17, n° 3, hiver 1984, pp. 563-576.

————, *Trois générations de femmes – le reflet mère-fille dans quelques nouvelles de Gabrielle Roy*, dans *Voix et images*, vol. 10, n° 3, 1985, pp. 165-176.

MAKWARD, Christiane et Odile Cazenave, *The Others' Others : «Francophone» Women and Writing*, dans *Yale French Studies*, n° 75, 1989, pp. 190-207.

MARSHALL, Joyce, *Gabrielle Roy 1909-1983*, dans *The Antigonish Review*, n° 55, automne 1983, pp. 35-46.

MOCQUAIS, Pierre-Yves, *La prairie et son traitement dans les oeuvres de Gabrielle Roy et Sinclair Ross*, dans *La langue, la culture et la société des francophones de l'Ouest*, Régina, Centre d'études bilingues, 1984, pp. 151-168.

MORRISET, Jean, *Entre la détresse et le déchirement - nature et signification de l'oeuvre de Gabrielle Roy*, entrevue avec Miodrag Kapetanovich et Paul Dubé, dans *La langue, la culture et la société des francophones de l'Ouest*, Saint-Boniface, Centre d'études franco-canadiennes de l'Ouest, 1985, pp. 235-251.

PAINCHAUD, Anna, *A Drawerful of Porridge*, dans *Chatelaine*, vol. 27, n° 11, novembre 1955, pp. 20-21, 50-53.

PARIZEAU, Alice, *Gabrielle Roy, la grande romancière canadienne*, interview publiée dans *Châtelaine*, avril 1966, pp. 44, 118, 120-123, 137, 140.

PASCAL, Gabrielle, *La condition féminine dans l'oeuvre de Gabrielle Roy*, dans *Voix et images*, vol. 5, n° 1, automne 1979, pp. 143-163.

———, *La femme dans l'oeuvre de Gabrielle Roy*, dans *Revue de l'Université d'Ottawa*, vol. 50, n° 1, janvier-mars 1980, pp. 55-61.

POULIN, Gabrielle, *Une merveilleuse histoire d'amour* – Ces enfants de ma vie *de Gabrielle Roy*, dans *Lettres québécoises*, n° 8, novembre 1977, pp. 5-9.

———, *Les meilleurs romans québécois de 1977*, dans *Relations*, n° 436, 1978, pp. 126-127.

RICARD, François, *La métamorphose d'un écrivain – essai biographique*, dans *Études littéraires*, vol. 17, n° 3, hiver 1984, pp. 441-455.

———, *Les mémoires secrets d'une jeune fille pas très rangée*, dans *l'Actualité*, oct. 1984, pp. 15-18.

———, *La biographie de Gabrielle Roy - problèmes et hypothèses*, dans *Voix et images*, vol. 14, n° 3, printemps 1989, pp. 453-460.

———, *Gabrielle Roy : petite topographie de l'oeuvre*, dans *Écrits du Canada français*, vol. 66, 1989, pp. 23-38.

ROBIDOUX, Réjean, *Introduction à l'étude de* Rue Deschambault *de Gabrielle Roy*, dans *Revue canadienne des langues vivantes*, vol. 24, n° 1, octobre 1967, pp. 60-61.

———, *Gabrielle Roy à la recherche d'elle-même*, dans *Revue canadienne des langues vivantes*, vol. 30, n° 3, mars 1974, pp. 208-211.

———, *Gabrielle Roy au lendemain du grand départ*, dans *Lettres québécoises*, n° 32, hiver 1983-84, pp. 17-19.

———, *Gabrielle Roy : la somme de l'oeuvre*, dans *Voix et images*, vol. 14, n° 3, printemps 1989, pp. 376-379.

ROY, Marie-Anna A., *À l'ombre des chemins de l'enfance, L'Eau Vive*, Régina, 1989-90.

SAINT-PIERRE, Annette, *L'Ouest canadien et sa littérature*, dans *Frontières – Revue d'histoire littéraire du Québec et du Canada français*, Université d'Ottawa, vol. 12, 1986, pp. 171-200.

SIROIS, Antoine, *La route d'Altamont*, dans *Dictionnaire des oeuvres littéraires du Québec*, III, 1963, 2e édition, Montreal, Fides, 1984, pp. 784-785.

———, *De l'idéologie au mythe – la nature chez Gabrielle Roy*, dans *Voix et images*, vol. 14, n° 3, printemps 1984, pp. 380-386.

SOCKEN, Paul, *Gabrielle Roy as Journalist*, dans *Revue canadienne des langues vivantes*, vol. 30, n° 2, 1974, pp. 96-100.

———, *«Le pays de l'amour» in the works of Gabrielle Roy*, dans *Revue de l'Université d'Ottawa*, vol. 46, n° 3, juillet-septembre 1976, pp. 311-323.

———, *L'harmonie dans l'oeuvre de Gabrielle Roy*, dans *Travaux de linguistique et de littérature*, Strasbourg, Centre de Philologie et de littérature romanes, vol. 15, n° 2, 1977, pp. 275-292.

———, *In Memoriam : Gabrielle Roy (1909-1983)*, dans *Revue canadienne des langues vivantes*, vol. 40, n° 1, octobre, 1983, pp. 105-110.

———, *L'enchantement dans la détresse – l'irréconciliable réconcilié chez Gabrielle Roy*, dans *Voix et images*, vol. 14, n° 3, printemps 1989, pp. 433-436.

———, Ces enfants de ma vie – *l'apprentissage de Gabrielle Roy*, dans *Cahiers franco-canadiens de l'Ouest*, vol. 3, nº 1, printemps 1991, pp. 15-30.

THÉRIO, Adrien, *Le portrait du père dans* Rue Deschambault *de Gabrielle Roy*, dans *Livres et auteurs québécois*, 1969, pp. 237-243.

VERDUYN, Christl, *L'écriture féminine contemporaine – une écriture de la folie?* dans *Gynocritics/La gynocritique : Démarches féministes à l'écriture des Canadiennes et Québécoises*, préparé par Barbara Godard, Toronto, ECW Press, 1987, pp. 71-75.

VOLDENG, Évelyne, *L'intertextualité dans les écrits féminins d'inspiration féministe*, dans *Gynocritics/La gynocritique : Démarches féministes à l'écriture des Canadiennes et Québécoises*, préparé par Barbara Godard, Toronto, ECW Press, 1987, pp. 51-58.

WHITFIELD, Agnès, *Gabrielle Roy et Gérard Bessette – quand l'écriture rencontre la mémoire*, dans *Voix et images*, vol. 9, nº 3, printemps 1984, pp. 129-141.

———, *Relire Gabrielle Roy, écrivaine*, dans *Queen's Quarterly*, vol. 97, nº 1, printemps 1990, pp. 53-66.

Table des matières

Composition chez Jocelyne Laxson
Impression chez Hignell